Grenadou
paysan français

Ouvrages de
Alain Prévost

AUX MÊMES ÉDITIONS

Bonne Chance quand même!, *1958*
Le Peuple impopulaire, *1956*
Le Chalutier Minium, *1959*
Les Amoureux d'Euville, *1962*
Adieu Bois de Boulogne, *1972*
Le Port des absents, *1967*
L'Équitation, *1972*
en collaboration avec Michel Henriquet

Ephraïm Grenadou
Alain Prévost

Grenadou
paysan français

Préface de Claude Mesliand

Éditions du Seuil

EN COUVERTURE

Ephraïm Grenadou, photo Alain Prévost

ISBN 2-02-004825-6
(ISBN 2-02-002085-8 1re publication)

© ÉDITIONS DU SEUIL, 1966.

Particularité des Beaucerons, ils disent " gars ", comme les Espagnols disent " hombre ", comme les Américains disent " man ".

Entre tous Éphraïm. Il est un paysan exceptionnel parce qu'il aime les arbres. Il est un homme exceptionnel parce qu'il aime les hommes. Il est un être exceptionnel parce qu'il est heureux.

Son histoire est pourtant exemplaire. Comme lui, des millions de paysans ont connu deux guerres, la crise des années 30, la lente évolution qui a vidé nos campagnes depuis 1900.

Quand 'Phraïm est né, Saint-Loup comptait quatre cent vingt habitants, deux cent cinquante aujourd'hui. En classe, il avait près de cinquante camarades. Maintenant, l'instituteur du village a dix-huit élèves.

Saint-Loup n'est plus un village de paysans. Beaucoup d'hommes partent le matin à Mobylette ou en camion pour la banlieue de Chartres où ils travaillent. Quelques Parisiens et plusieurs couples de retraités y ont acheté des maisons.

Chez le maréchal-ferrant, plus de chevaux. Le bourrelier fabrique en série des gants de cuir ou des ballons de football.

Depuis dix ans, Saint-Loup n'a plus de curé.

'Phraïm a connu cette évolution, il ne l'a pas subie. Le charretier de quatorze ans qui menait " l'attelée jaune " a une moissonneuse-batteuse, six tracteurs et de l'humour.

En 1959, je me suis installé à Saint-Loup ; nous sommes vite devenus amis. Pendant les heures de billard ou de chasse, je découvrais quelques passages de la vie de 'Phraïm.

Quelle tentation pour un écrivain !

Quand j'ai enfin proposé à 'Phraïm d'écrire ce livre, il m'a dit :

— Qui veux-tu que ça intéresse ?

— C'est mon affaire !

Je suis sûr qu'il a accepté par solidarité paysanne, pour montrer " aux autres " ce qu'était la vie d'un cultivateur.

Ce livre a été commencé en octobre 1965, terminé en février 66.

En tout, soixante heures de magnétophone. 'Phraïm passait deux soirs par semaine à la maison. J'avais préparé des questions. Je lui relisais les pages écrites.

Dans le livre, tout est de lui. Je n'ai fait qu'organiser, " mettre en page ".

Je lui avais proposé de rester anonyme. Il m'a répondu :

— Pourquoi ? On n'a pas à se cacher, puisque tout ce qu'on raconte est vrai !

Saint-Loup, le 17 février 1966.

Préface

C'est en 1966 qu'est parue la première édition de *Grenadou, paysan français*, titre qui sonnait fièrement avec son nom sorti du terroir. A cette date, le livre s'inscrivait dans un courant de curiosité et d'intérêt scientifique et politique pour l'avenir de l'agriculture et de la paysannerie françaises, tel qu'on pouvait le concevoir à la lumière d'une évolution certes déjà ancienne, mais qui s'était accélérée depuis les années cinquante. C'était le moment où le sociologue Henri Mendras préparait l'ouvrage qu'il allait intituler de façon volontairement quelque peu provocatrice *la Fin des paysans* [1].

Grenadou retrace sa vie, qui est une incontestable réussite personnelle, et il affirme sa confiance dans l'avenir de son exploitation, en évoquant son petit-fils de dix-sept ans qui étudie à l'École d'agriculture. « Il devrait faire un bon cultivateur parce qu'il est descendant de paysans et que ça lui plaît. Sûrement qu'il sera plus fort que moi. » Soyons attentifs au vocabulaire : Grenadou était un paysan, son petit-fils qui porte ses espoirs sera un cultivateur.

1. Edité chez Colin, Coll. « U2 ».

Grenadou a tout appris de son métier par lui-même, par
une expérience acquise auprès de ses anciens et par des
anticipations où se sont exprimés sa valeur personnelle,
son esprit d'initiative que l'école n'avait pu éduquer;
son petit-fils se forme à l'École d'agriculture où on
lui enseigne les techniques de l'agriculture industria-
lisée. En fin de compte, Grenadou, paysan français, apporte une certaine justification à *la Fin des paysans* de
Mendras.

Il convient de réfléchir aux circonstances de la rencontre
entre Alain Prévost et Ephraïm Grenadou. La présenta-
tion de leur ouvrage commun nous apprend qu'« en juin
1959 un écrivain acheta le presbytère de Saint-Loup ».
Derrière la banalité de la transaction immobilière —
devenue si ordinaire que nous risquons de laisser échapper
sa signification sociale —, se dessine la résultante d'une
grande évolution historique, la dépopulation et la
déchristianisation des campagnes parvenues à un tel degré,
non seulement dans les faits mais aussi dans la conscience
qu'en prennent les habitants du village, que leur conseil
municipal en reconnaît le caractère irréversible par la
mise en vente du presbytère. Le fait que ce soit un homme
des villes qui s'en rende acquéreur, est révélateur d'un
certain retour à la terre, dont la densité ne saurait bien
sûr être comparée à celle des départs accumulés, mais
qui n'est pas indifférente à la proximité et aux facilités
de communication avec la capitale ou les grandes agglo-
mérations de notre pays. Paradoxe de notre temps, qui
enregistre le caractère inexorable des départs de ceux
qui, de génération en génération, ont façonné et modelé
les paysages où d'autres — moins nombreux, exprimant

la réussite de certains départs antérieurs — reviennent chercher le repos et l'équilibre compromis par les cadences, les tensions et les pollutions de la vie dans les grands centres urbains.

Alain Prévost a parfaitement saisi la dimension sociale de l'évolution des campagnes beauceronnes. Il l'a également perçue en écrivain et il s'est attaché à la traduire en l'ordonnant autour de la destinée d'un homme. Peut-être parce qu'il le connaissait trop bien, parce qu'il avait pris, au fil de leur amitié tissée dans le quotidien simple et vrai de la vie à Saint-Loup, la mesure de la richesse humaine de 'Phraïm, de son intelligence créatrice et clairvoyante, il n'a pas voulu en faire un personnage de roman; il a eu l'heureuse idée de lui donner la parole. Les historiens connaissent le prix d'un témoignage sincère, mais aussi la difficulté de l'obtenir, et le secret de la réussite ne tient pas tellement aux techniques mises en œuvre. Le magnétophone serait-il servi par le plus habile des questionneurs ne livrerait que des platitudes insignifiantes ou des déclarations de convention si ne passait entre le questionneur et le questionné le courant de l'amitié, d'une amitié chaude et confiante, brisant la glace de la méfiance ou plus simplement de la pudeur et de la discrétion. Cette condition absolument nécessaire est ici remplie, et quand Alain Prévost écrit : « Nous sommes vite devenus amis », il ne faut pas perdre de vue que le récit autobiographique a pris forme après six années de familiarité gagnant jour après jour en confiance et en estime réciproques. Pas plus qu'il ne faut oublier les circonstances dans lesquelles s'est nouée l'amitié entre les deux hommes, « pendant les heures de billard ou de chasse », c'est-à-dire dans les lieux et les pratiques d'une sociabilité où le paysan se livre plus aisément qu'il ne pourrait le faire dans son travail, où la communication passe par la similitude et l'égalité des conditions.

Grenadou est un paysan de Beauce, son expérience professionnelle est celle d'un homme de la grande culture céréalière. Il a vécu toute sa vie au rythme saisonnier des labours, de l'ensemencement des champs, de la moisson et du battage. Il a été élevé dans la familiarité des bêtes, des chevaux en premier lieu, car le paysan beauceron ne pouvait accéder à l'indépendance que s'il possédait un attelage et c'est la maîtrise de la conduite des chevaux, à la charrue et dans les charrois, qui conférait la qualification la plus noble. « De plus en plus, je voulais devenir charretier », confie Grenadou qui tire fierté du fait qu'à quatorze ans il savait labourer « aussi bien qu'un autre », et il est devenu charretier chez son père. Le paysan — et cela ne vaut pas seulement pour la Beauce —, c'est le maître de son attelage, et la relation qui s'établit entre lui et ses chevaux est de sympathie et de connivence bien plus que de force et de soumission. Quand les chevaux disparaissent, chassés par le tracteur, c'est nécessairement une autre société rurale qui s'implante, d'autres usages qui vont s'imposer. Pour Grenadou, la journée commençait et s'achevait par les soins à donner aux chevaux et il en était ainsi tous les jours. Les jeunes cultivateurs d'aujourd'hui, qui n'ont jamais vu un maréchal-ferrant au travail, qui n'ont pas connu la contrainte du pansage quotidien, ne savent pas parler à un cheval et conduisent leur travail sur d'autres rythmes, d'autres horaires que leurs pères. Ils ont découvert l'exigence des vacances,

alors que c'est un problème que manifestement Grenadou
ne s'est jamais posé, qu'il ne pouvait pas se poser car
l'entretien des animaux de la ferme ne connaissait évidem-
ment pas d'interruptions. Le temps des loisirs s'inscrivait
nécessairement du matin au soir, du marché de Chartres
au café du village où les jeunes allaient danser, où Grenadou
a toujours aimé faire sa partie de billard.

Grenadou, si vif que soit son attachement pour les
bêtes, n'a bien sûr pas pour autant maintenu la tradition
des attelages, mais il a procédé par étapes à la mécanisation
de son exploitation. Alors que son ami Richer avait
très tôt saisi la supériorité de la motorisation de l'agriculture, qui permettait une étroite et totale spécialisation
dans la production végétale, il a maintenu la tradition
beauceronne d'un élevage complémentaire. Mais il a eu
de cet élevage une conception spéculative, dans la pers-
pective des revenus monétaires qu'il pouvait en attendre,
et il a tout essayé, tout entrepris, de l'élevage des moutons
à celui des veaux et des cochons. Remarquons cependant
qu'au soir de sa vie, alors que rien ne l'y oblige, il entre-
tient toujours une basse-cour et élève encore deux vaches.
Il lui faut d'ailleurs s'en expliquer, car il a conscience
qu'il y a là pour un observateur non averti un anachro-
nisme : « Si j'ai encore deux vaches, c'est parce que je ne
peux pas être cultivateur et aller au lait chez le voisin. » Lui
qui fut un homme de négoce, qui a réglé ses productions
sur les possibilités du marché, il maintient toujours
l'échange hors de sa vie domestique en vertu d'une règle
de vie qui s'est imposée à lui dès son enfance : le paysan
consomme ce qu'il peut produire. L'autoconsommation
était certes dans son enfance inséparable de son statut

économique, mais elle révèle aussi une identité sociale.
La génération de Grenadou sera la dernière à s'y tenir.

Avant 1914, la plaine de Beauce « était couverte de
monde » et Saint-Loup était habité par une population
de fermiers, de « petits cultivateurs » et d'ouvriers agri-
coles, que dominait le châtelain, fort de ses deux cents
hectares, maire du village. Sociologie sans surprise,
mais aussi société déjà craquelée sous le vernis de son
genre de vie faussement unificateur. La pauvreté était
le lot du plus grand nombre, mesurée à l'inconfort du
logis et à la sobriété de l'alimentation, mais à lire attenti-
vement Grenadou on observe un processus de différenciation sociale. S'il ne s'étend pas sur les départs, on
comprend bien, à l'exemple de son père, que ceux qui
restent fondent leur maintien à la terre sur une réussite,
certes modeste et arrachée au prix d'un travail intense,
mais qui les fait accéder à la pleine indépendance. C'est
ainsi que le père de Grenadou a quitté sa condition de
charretier salarié pour cultiver une dizaine d'hectares
qu'il avait pu acheter à bon compte, profitant de la baisse
du prix de la terre consécutive à la grande dépression
agricole dès la fin du XIXᵉ siècle. Mais il tenait de ses
parents la maison où il s'installait, « trop petite pour une
ferme », et leur empruntait l'âne qu'il attelait avec le
cheval qu'il avait acheté — premier signe d'indépendance !
Quelque quinze ans plus tard, quand Grenadou quitte
l'école, « il avait trois chevaux et un commis » et cultivait
vingt-cinq hectares. La réussite, c'est cela qui permet
aussi à Grenadou d'échapper à la condition de salarié et
de nourrir des ambitions plus larges que celles qu'avait
eues son père.

Mais la guerre est là... Elle tient une grande place dans les souvenirs de Grenadou, qui nous apporte le témoignage de la « Revanche » espérée, que l'école avait activement entretenue. Cependant, Grenadou voit la guerre bien plus comme une aventure personnelle que comme un destin collectif. Son enjeu national n'apparaît pas dans ses souvenirs, c'est le quotidien de la guerre qui est resté vivant dans sa mémoire, et l'on perçoit comment l'horrible pouvait être toléré, parce que traversé d'un humour certes macabre mais où s'exprimait l'attachement parfois insensé à la vie. Il serait imprudent de généraliser l'expérience guerrière de Grenadou, il me paraît cependant nécessaire de noter comme des faits importants, explicatifs de certaines de ses initiatives et audaces ultérieures, les voyages où la guerre l'a entraîné, les relations humaines où elle l'a introduit. Le paysan qui n'avait jamais quitté son village a pris la mesure de sa valeur personnelle parce que la guerre, niveleuse des conditions sociales, l'a mis en situation de se comparer à d'autres qu'il n'aurait jamais pu découvrir dans leur vérité humaine si la tragique familiarité des combats n'avait déchiré le masque des conventions sociales. Il est significatif qu'il s'attarde dans son récit sur les officiers qu'il a rencontrés, et l'on comprend, au jugement qu'il porte sur eux, comment la docilité résignée du soldat a pu devenir révolte au Chemin des Dames.

L'Allemand — le Boche selon la formule du temps — ne lui inspire pas de haine. Il apparaît plutôt comme un partenaire dans un jeu accablant, dont les règles fondamentales sont inconnues des uns comme des autres. Aussi n'est-il pas surprenant que l'occupation en Rhénanie donne lieu rapidement à une fraternisation avec les familles qui logent les soldats français. Mais l'armistice n'était pas la paix et l'armée dans son principe d'ordre hiérarchique pouvait être menacée par la détente qui s'instaurait dans ses rapports internes. Grenadou n'a pas apprécié la reprise en main que l'État-Major n'a pas tardé à mettre en œuvre, il y a là une des sources de l'anti-militarisme de l'entre-deux guerres.

La guerre n'a pas profondément perturbé l'activité économique du village : c'est une vertu de cette société rurale, comptant avant tout sur le travail de tous les membres de la famille, que de faire face avec les moyens du bord dans les circonstances les plus défavorables et de traverser la guerre sans que s'affaiblisse sensiblement ni durablement son potentiel de production. Grenadou, sitôt libéré de l'armée, s'est marié. Les parents de sa femme leur assuraient le gîte, son état de charretier chez son père ne le satisfaisait plus, mais ses origines modestes ne lui assurant pas le soutien financier indispensable à une installation sur une grande ferme, il lui fallut suivre la voie que son père avait lui-même empruntée, celle de l'indépendance progressivement acquise, au prix d'un dur travail. Cependant, la marche est rapide puisque, propriétaire de neuf hectares en 1920, il en cultive quarante en 1922 et soixante-quinze en 1928. Certes, dans le total figurent la ferme de ses beaux-parents et celle de ses parents dont il a payé la reprise, mais il a pu dans le même temps acheter son premier tracteur et pense déjà à avoir une automobile. Si la démarche du fils était calquée sur celle du père, le résultat est bien différent. L'explication n'est pas mystérieuse : la pression des hommes sur la terre a beaucoup diminué et l'inflation de l'après-guerre favorise les producteurs, seraient-ils au départ peu argentés, accordant en quelque sorte une prime aux audacieux. C'est bien le cas de Grenadou, mais on peut voir dans sa réussite non pas un cas isolé, mais plutôt l'exemple vivant d'une promotion collective, celle de la moyenne paysannerie qui en quelques années a fortifié sa position économique et acquis une personnalité sociale que caractérisent l'ouverture au progrès technique, la recherche de productions commercialisables — serait-ce au prix d'un risque — et le sens d'un certain confort, voire d'un standing que l'automobile illustre parfaitement. Ceci, qui est vrai pour la Beauce et pour d'autres régions d'agriculture spécialisée, ne saurait être généralisé à la France tout entière mais exprime une tendance indiscutable.

La crise des années 1930 n'allait-elle pas compromettre ce mouvement? Grenadou l'a vécue intensément, il en a éprouvé l'aberration comme le montre si bien sa réaction devant l'évolution divergente du prix du blé et du pain. L'important dans la décision qu'il prend de cuire lui-même son pain n'est pas l'économie qu'il réalise, mais la volonté obstinée qu'il traduit ainsi de refuser le chaos, comme il dit. Pour franchir aux moindres frais ce mauvais passage, le paysan qui s'était placé à la pointe du progrès retrouve les vertus ancestrales de l'épargne menue et de la prudence calculatrice. Là encore, il réussit puisqu'il peut arrondir son domaine des terres de deux malchanceux qui, eux, ont dû renoncer. Mais il convient ici de s'interroger : la ténacité dans l'effort, la clairvoyance dans une mauvaise passe sont des qualités que Grenadou a, indiscutablement. Mais peut-on tout expliquer de cette manière ? Assurément non, et il est nécessaire de noter que la crise a accéléré le processus de différenciation sociale que nous avons déjà observé, qu'elle a éliminé les plus faibles non pas toujours au bénéfice des plus forts, mais de ceux qui, ayant franchi le seuil de la vulnérabilité à une conjoncture défavorable, gardaient la capacité de s'y adapter par les réserves de force que justement ils avaient su se ménager. Grenadou nous donne de cette évolution complexe un bon exemple. Il est à remarquer que le Front populaire ne lui a pas laissé de grands souvenirs, si ce n'est la création de l'Office du blé qui devait assurer au blé un prix rémunérateur.

La guerre en 1939 ne l'a pas tellement surpris et il s'y est rapidement adapté, comme en témoigne son idée de « faire quelques hectares de carottes rouges » en prévision d'une « crise sur la nourriture. » Il a été entraîné sur les routes de l'exode, et l'énumération des éléments constitutifs du convoi qu'il forme est suggestive de la puissance économique qu'il avait acquise, bien supérieure aux quatre-vingt-dix mille francs qu'il a pris la sage précaution de retirer de son compte au Crédit agricole. Son bon sens — mais aussi la conscience de ses intérêts — lui font rebrousser chemin pour revenir à Saint-Loup à contre-courant du flot des fuyards, et il ne comprend pas l'aveuglement des soldats qui préfèrent la captivité au risque de l'abandon de leur tenue militaire.

Grenadou a vite choisi sa façon personnelle, spécifique, de résister à l'occupant. Dans le récit qu'il en donne, pas de référence explicite au patriotisme et aux justifications politiques qu'on peut lui donner. Son patriotisme, dont nous savons qu'il vient de très loin, s'est nourri de l'humiliation personnelle qu'il a éprouvée de la défaite et de l'exode de juin 1940. Mais c'est dans sa pratique paysanne la plus vraie qu'il a été amené à accomplir sa première action de résistance : la réquisition des chevaux l'a blessé, et c'est sur le marché où les paysans conduisaient les chevaux qu'il a bravé l'autorité allemande, ce qui l'a engagé dans une voie où, de tricherie en désobéissance, il devait en fin de compte mais tardivement rencontrer la Résistance — La Résistance la plus authentique qui soit d'ailleurs, celle qu'animaient et dirigeaient en Eure-et-Loir l'écrivain Maurice Clavel et la comédienne Sylvia Monfort. Alors, quand il lui a été demandé de prendre un risque à vrai dire considérable, il n'a pas hésité. Beaucoup de paysans ont fait de même, dans un comportement qui n'était pas dépourvu d'ambiguïté puisque l'Occupation qu'ils refusaient leur permettait de réaliser des gains appréciables et qu'ils n'en subissaient pas la plus dure contrainte, celle des privations : « Avec tout le monde qui avait faim, qui parlait de nourriture, on mangeait moitié plus qu'avant la guerre. J'engraissais. » Il faut un certain courage pour le dire, même si plus de vingt ans sont passés...

La cinquantaine arrivée, Grenadou qui pouvait penser à sa retraite, s'est fait construire une maison. Mais la retraite n'avait de sens que si une de ses trois filles épousait un cultivateur qui reprendrait ses biens. Ce ne fut pas le cas, et Grenadou est resté paysan, continuant

même à agrandir son domaine, achevant· sa motorisation
et la mutation de son système de cultures. C'est une autre
vertu paysanne que le refus de la vieillesse, même si ce
choix est facilité par la réussite qui dispense des travaux
de force et permet de se consacrer à une tâche de direction.
Ainsi Grenadou est resté paysan tout en devenant un
agriculteur au sens le plus moderne du terme. Et il est
paysan, toujours, parce qu'il veut assurer dans sa famille
la transmission de son exploitation. Il avait commencé
avec neuf hectares et un cheval; trente-cinq ans ont
passé et il cultive cent soixante-dix hectares. La plaine
de Beauce n'est plus couverte de monde, deux hommes
suffisent à cultiver le domaine. Il disposait de six mille
francs (anciens) en 1920 pour s'installer, il lui faut en
1965 une trésorerie de dix-sept millions francs, « avant
de récolter », et la dévalorisation de la monnaie ne suffit
pas à rendre compte du décalage. C'est bien une autre
agriculture que Grenadou a contribué à mettre en place.

S'il est vrai que c'est seulement à partir des années
1950 que la mécanisation de l'agriculture s'est imposée,
et qu'à cette date il approchait de l'âge de la retraite,
Grenadou est un de ceux — plutôt rares — qui ont préparé
par leur action personnelle la modernisation du système
agricole. Il en a été récompensé et il a tout lieu d'être
satisfait du bilan matériel qu'il présente. Mais sa réussite
économique n'a pas changé son statut social. Il a su garder
la tête froide, éviter de se couper de son milieu originel.
De Saint-Loup à Luplanté et à Chartres, où il continue
de « monter » chaque semaine, son horizon et ses habitu-
des n'ont pas changé. La partie de billard, les propos
échangés sur le marché avec ses amis fermiers, l'apéritif

au café en attendant sa femme, « la patronne », qui a fait ses courses pendant que lui rencontrait d'autres hommes... il y a là une grande stabilité dans le genre de vie, où la fortune acquise n'a rien changé. Son seul luxe, en fin de compte, n'est-il pas celui qu'il s'est préparé à titre posthume, le caveau dans le cimetière de Saint-Loup — qu'il a tout de même creusé lui-même — ou « Alice et moi, on a notre place au sec ».

Ce qui reste obscur à le lire, c'est sa position politique. Rien de surprenant à cela, d'ailleurs, car c'est un domaine où le paysan répugne à se livrer, le plus souvent. On peut noter cependant qu'il n'hésite pas à caractériser son père sur ce plan, qui était avant 1914 « conseiller municipal et républicain » et « n'aimait pas trop les riches ». On peut penser qu'il s'inscrivait lui-même dans cette tradition quand il fut élu à son tour conseiller municipal en 1930, et il confirme et précise son engagement quand il indique qu' « à Saint-Loup on était des tribaletistes », du nom du député radical de l'arrondissement de Chartres. Mais il est remarquable que Grenadou, qui nous donne bien des témoignages convaincants d'une forte personnalité, s'en rapporte pour ses opinions politiques à la position dominante de la communauté villageoise. Faut-il croire qu'il se désintéresse de la politique ? Il est assurément plus à l'aise dans les fonctions de sociabilité et de loisirs masculins, telle la compagnie de pompiers, le syndicat de chasse... Mais il est possible aussi qu'il lui soit malaisé d'assumer la tradition familiale de gauche alors que sa réussite économique, même si elle n'a pas modifié son comportement social, le place du côté des possédants. C'est peut-être là que la tradition touche une limite invisible, mais aussi infranchissable. C'est à coup sûr un problème non négligeable pour l'analyse des opinions politiques et de leur évolution.

Certes, Grenadou témoigne pour d'autres que lui qui ont suivi une route comparable à la sienne. Mais lui et ses semblables ne sont pas toute la paysannerie française. Elle compte bien des échecs, ou des destins médiocres sans qu'on puisse établir de responsabilités personnelles dans la réussite ou dans l'échec. Aussi bien, quelle que soit la sympathie qui se dégage de Grenadou, devons-nous éviter la tentation de personnaliser sa destinée. Ce n'est pas méconnaître ses mérites personnels que de replacer le déroulement de son existence dans son contexte historique et il faut avoir l'ambition de dénombrer les Grenadou, et les autres, pour parvenir à la connaissance d'une évolution qui ne sera vraiment intelligible que quand le poids respectif des uns et des autres pourra être, aussi exactement que possible, mesuré. Mais l'intérêt irremplaçable du témoignage de Grenadou restera d'apporter à ce mouvement encore mal connu le frémissement et la chaleur de la vie.

Claude Mesliand, 1978.

1

L'enfance

Eh bien, voilà : je m'appelle Grenadou Éphraïm, né en 1897 à Saint-Loup, dans le département de l'Eure-et-Loir. Ma mère était du village et mon père de Meslay-le-Grenet, à six kilomètres.

La route Paris-Tours passe sur la commune et sépare la Beauce du Perche ; mais ici, c'est encore la grande plaine avec la cathédrale de Chartres à quinze kilomètres sur l'horizon.

La commune comprend quatre hameaux : le Temple, la Bourdinière, Chenonville et Saint-Loup. A part les deux châteaux, l'église, le presbytère et l'école, les maisons étaient construites en terre et couvertes de chaume.

Dans mon enfance, le village comptait quatre cents habitants, plus une centaine d'ouvriers qui venaient d'ici et là : charretiers, bergers, vachers, moissonneurs ; dans une ferme moyenne, au moins dix ouvriers. Peu de grandes fermes, un pays de petits cultivateurs à l'exception du marquis de Roussy de Sales, monsieur le Maire, qui possédait deux cents hectares, le cinquième du pays. De son château de Chenonville il venait à la messe tous les dimanches dans une calèche tirée par deux chevaux et conduite par un cocher en gants blancs. Quand il rendait visite à l'école, nous, les enfants, nous nous levions et nous criions : " Bonjour, monsieur le Maire ! Bonjour, monsieur le Marquis. "

Toutes les maisons, sauf les plus pauvres, possédaient une vache et un âne ; même le maréchal-ferrant, le maçon, le charpentier et le cordonnier. Ça occupait la femme pendant que le mari travaillait.

Mon grand-père faisait le berger dans une ferme de la Bourdinière. A cette époque-là, on élevait de grands troupeaux en Beauce. Il gagnait vingt sous par jour et après sa mort un de mes oncles a pris sa place.

Ma mère gagnait dix sous pour coudre la journée chez le monde. Quand elle a épousé mon père, il travaillait à Saint-Loup comme charretier ; mais à vingt-cinq ans il a dû reprendre une place dans son pays natal. Il s'éloignait à pied, six kilomètres en sabots le matin pour aller à son travail, partant à quatre heures et demie, pour revenir l'été à huit heures et l'hiver à six. Il gagnait deux cents francs par terme, c'est-à-dire quatre cents francs par an.

Dans ce temps-là, l'huissier passait souvent avec sa carriole. Il venait d'Illiers et le monde regardait où il allait entrer. Il saisissait tout, vendait même la récolte sur pied, et ne laissait que deux chaises, le lit, la table, et peut-être une huche. Je me souviens d'un certain Malepart, de la Bourdinière ; l'huissier devait lui faire sa vente et il s'est noyé ; on a trouvé ses sabots devant son puits.

Beaucoup de gros propriétaires faisaient faillite, même le marquis de Roussy de Sales qui était pourtant un brave homme. C'est ça, le début, quand nos parents avec un cheval se sont mis à leur compte. Ils achetaient pour rien la terre en friche ; un hectare de terre valait vingt-cinq francs de loyer. Les grosses fermes avaient des trains de vie élevés, tandis que nos parents vivaient si maigrement qu'ils arrivaient à payer. C'était des gens tout à fait économes. Ils travaillaient presque comme des serfs.

Quand mon père a pensé se mettre à son compte, il a emprunté mille francs, plus de deux ans de salaire. Il a acheté une charrue et un cheval. Mes grands-parents lui ont prêté leur bourri. Il attelait les deux bêtes ensemble et avec cet équipage il pouvait cultiver une dizaine d'hectares. J'avais trois, quatre ans ; mon père m'emmenait dans les champs et je voyais le cheval labourer avec l'âne. Tout le monde faisait ça.

Le dimanche, entre eux, les ouvriers se construisaient leurs chaumières, tantôt pour l'un, tantôt pour l'autre. Les pieds de mur sont en silex, et ensuite de la terre du dessus, de cette terre qui a été cultivée pour qu'elle soit bonne, mélangée à de la paille. Ils la trépignaient, en faisaient une bauge, construisaient un peu tous les dimanches, traçaient les murs à quelque chose près.

Ma maison d'enfance est donc une chaumière. Elle se trouve au Bout d'en Haut, une des dernières maisons vers Luplanté, vers les champs, vers le midi. Deux pièces : une petite chambre avec juste la largeur d'un lit, et puis ce qu'on appelait " la maison ", la grande pièce de quatre mètres sur quatre, le lit des parents dans une alcôve, une huche ou deux, la table et l'horloge.

Notre maison était carrelée ; une pierre blanche au milieu ; là, on cassait le bois pour le mettre dans la cheminée. La soupe cuisait dans une marmite pendue à la crémaillère.

Les enfants couchaient dans la chambre ; il n'en fallait pas beaucoup, ça manquait de place. Dans les grandes familles, les enfants dormaient tous dans le même lit : deux ou trois à la tête, deux ou trois au pied.

Nous n'étions que deux. Ma sœur Noémie, de sept ans mon aînée, couchait tous les soirs chez ma grand-mère. Mais voilà qu'une tante qui habitait à l'autre bout du pays est tombée en paralysie. Mon père n'a pas voulu l'envoyer à l'hôpital et on a pris la tante dans ma chambre, dans mon lit. On m'a d'abord mis dans le grenier, ensuite mon père m'a fait faire un lit dans l'étable. Avec moi j'avais les vaches, le bourri et le cheval. J'ai couché là jusqu'à tant que je parte soldat. Même en hiver, il n'y avait ni feu ni flamme ; on me mettait un édredon en duvet d'oie, c'était épatant.

Jusqu'à trois, quatre ans, j'ai porté une robe. L'été, quand tous les autres travaillaient aux champs, les vieux nous gardaient, assis sur des bancs à l'ombre des maisons. L'hiver, nos mères nous emmenaient dans les étables, toujours les mêmes, de grandes étables où il y avait de la place. On laissait les sabots derrière la porte, on restait les pieds au chaud dans la paille. Les femmes s'occupaient, tricotaient, raccommodaient. Là, les marchands d'étoffe ou de bricoles venaient les voir. Le soir, à la veillée, les hommes nous rejoignaient, causaient ou jouaient aux cartes. Les vieux fabriquaient des paniers à pain.

Mon père avait les yeux bleus et des moustaches. Un homme grand mais plutôt fatigué ; c'est-à-dire qu'étant jeune (ils étaient sept enfants et mal nourris), il ne s'est

pas développé comme il aurait dû et n'a pas été soldat.
Chez nous, il se donnait trop de mal ; quand on est chez
soi, on travaille plus, la semaine et le dimanche. Ses frères,
qui n'ont pas travaillé à leur compte, ont mieux enforci.

Ma mère était rondelette. Elle était belle, ma mère,
avec ses yeux gris. Elle portait des sabots, des jupes
presque jusqu'aux chevilles (toujours des étoffes grosses,
de couleur foncée), un corsage, un grand tablier qui
s'appelait une devantière, un fichu sur la tête pour le
travail ; sans ça elle portait des câlines : une coiffe d'étoffe
blanche, des fleurs brodées dessus, sous le menton un
grand nœud bien amidonné, la bouffette.

J'ai été élevé au lait de chèvre, une chèvre blanche
qui me suivait partout. Comme je l'ai pleurée, ma chèvre,
quand mes parents l'ont vendue !

Ma première culotte je m'en souviens, parce que j'en
avais marre, de ma robe. Pour l'école on m'a acheté un
tablier noir ; les garçons comme les filles, tout le monde
en tablier noir avec une ceinture et aux pieds des sabots.

L'instituteur s'appelait monsieur Houdard, un homme
premier en taille, de quarante à quarante-cinq ans.

On allait à l'école de huit à onze heures et de une
heure à quatre. Dans mes débuts il y avait encore un
grand crucifix accroché au-dessus du maître. On était
patriote avec l'histoire de la Revanche ; tous debout on
chantait :

> *Mourir pour la patrie*
> *C'est le sort le plus beau...*

Monsieur Houdard voulait qu'on tienne le porte-plume
les doigts allongés ; pour celui qui pliait les doigts, la
baguette ne tardait pas. Un jour la baguette tombe sur

mon porte-plume et la plume traverse le cahier. Voilà une tache, un barbot comme nous disions. Monsieur Houdard regarde mon cahier : " Qu'est-ce que c'est que ce machin-là ? " Et patatraque, deux, trois gifles. Je veux lui dire : " C'est vous, Monsieur. " " C'est moi ? " Et patatraque encore. Comme la plume avait traversé le cahier, à chaque page il retrouvait la tache, et à chaque page, patatraque, encore deux, trois gifles tant que ce cahier-là soit fini.

Moi, il y a des choses que j'aurais sues si on me les avait expliquées. Je n'ai jamais pu le faire entendre à monsieur Houdard, il n'écoutait pas ce que je lui disais. Je faisais des fautes dans les dictées ; au lieu de m'apprendre il me donnait des verbes, dix ou quinze verbes. Donc je n'ai pas eu mon certificat d'études.

Oh, j'étais copain avec toute la classe : Julien Perrier, Charles Chareau, les frères Barbet, Alice Moulard, Gilbert Piquelet. Il y avait aussi Debeauce, de Chenonville, le chouchou du maître ; lui, il a eu son certificat d'études.

Tous les jours en rentrant de l'école, j'avais mon ouvrage. A midi comme le soir, je coupais deux ou trois seaux de betteraves pour les bestiaux ; je curais les chevaux ; j'allais leur chercher une ou deux brouettées de fourrage dans une grange que nous avions à l'autre bout du village. La mère de Perrier était bien pauvre. Julien, les Barbet et d'autres copains aussi pauvres que lui, venaient à la maison à quatre heures ; ma mère leur donnait une beurrée de fromage blanc. Après ça, ils m'aidaient. Le jeudi ou le dimanche, quand ma mère ne me voyait pas à l'heure du goûter, elle me courait après dans les rues du village avec ma tartine à la main :

— Vous avez pas vu 'Phraïm ?

Nous, les gosses, on jouait surtout à des jeux de travail. Nous ne rêvions qu'à être charretier. Avec des cordes on en attelait un, et puis " ho ", et puis " hue ", l'autre menait avec un fouet. On labourait avec de vieux restants de charrue.

Il y a bien eu aussi la guerre russo-japonaise. A la sortie de l'école, on se séparait en Russes et en Japonais et on prenait Port-Arthur à coups de bâtons et de pierres. J'ai reçu une pierre à la tête. Mon père m'a conduit au médecin, celui de Meslay-le-Vidame qui venait deux fois par semaine faire les consultations au bistrot de Saint-Loup. Le mal s'est passé mais l'os est resté marqué sous la cicatrice.

Si j'oubliais de faire mon ouvrage à la maison, je passais à la toise quand mon père rentrait. Il me disait :

— Va chercher des orties.

Je cueillais des orties derrière la grange, je les posais sur la table et j'attendais.

— Déculotte-toi.

Je n'avais pas vraiment peur. Il me commandait, et puis ça tombait. Mes fesses restaient rouges pendant huit jours. Ma mère n'osait rien dire, seulement elle regardait après si j'avais eu du mal. Ça m'arrivait deux ou trois fois par an.

Quand mon père rentrait le soir, je lui portais la lumière. Avec la lampe à huile, je le suivais partout dans l'écurie pour l'éclairer. La lampe faisait une fumée épouvantable, chaque coup de vent tuait la flamme.

Ah ! nous avions aussi de bons moments : les promenades du dimanche, les voyages à Chartres, la Saint-André.

Le premier propriétaire du château s'appelait Leblanc. Son fils était même connu : un aéronaute, il est passé une fois sur Saint-Loup en ballon. Il a gagné des courses en Amérique ; je crois qu'il était deuxième du monde dans ces ballons.

Mon père cultivait les terres du château ; avec son cheval Papillon, il faisait tourner l'engin qui montait l'eau du puits dans un bassin. Or, Leblanc avait une calèche. Le dimanche mon père attelait Papillon à la voiture et on allait tous se promener. J'avais six, sept ans. On partait après le déjeuner. Quand un coin nous plaisait, on s'arrêtait.

Madame Leblanc m'avait donné une montre ; et puis j'ai regardé dans le ventre de la montre ; je l'ai cassée bien sûr, et mon père m'a battu.

Deux ou trois samedis par an nous allions au marché de Chartres. Il fallait partir tôt le matin pour faire les quinze kilomètres. Tout le long de la route, il y avait des voitures à bourri. Nous attelions Rustique, l'âne de ma grand-mère. Un as de bourricot, un étalon ; quand il se mettait à courir après un cheval, mon père pouvait plus l'arrêter. Il était mauvais comme une gale ; chez son premier propriétaire, Rustique avait étranglé une vache. Pauvre Rustique, il est mort chez nous, tellement vieux qu'il ne pouvait plus marcher.

Si vous aviez vu cette route Paris-Tours, avec ses cailloux et ses trous... Pensez qu'ils faisaient des courses là-dessus, comme Paris-Madrid ! Les paysans venaient de partout voir passer les voitures. Ils déjeunaient assis dans l'herbe des fossés. On comptait les accidents.

Il y avait aussi le tramway qui suivait la route : une

locomotive à vapeur tirait sept, huit wagons, des premières classes, des deuxièmes classes, les riches, les pauvres, les marchandises, des wagons de blé, de pommes, de betteraves.

Donc on emportait au marché de Chartres des œufs, du beurre et du fromage bleu séché dans des feuilles de châtaignier. La moitié du chemin se faisait au pas, on admirait le paysage. Mon père payait l'octroi et laissait la charrette à la Barrière Verte, à l'entrée de la place des Épars. Chaque entrée de la ville avait son auberge et ses écuries.

Personne n'achetait grand-chose. Dans ce temps-là, on ne gagnait pas cher : deux sous le litre de lait, vingt-cinq francs un sac de cent vingt kilos de blé. Après le percepteur, les loyers, les habits, les harnachements, le vétérinaire et le docteur, le peu qui restait passait aux économies ; tout allait pour acheter des champs. Dans sa vie, mon père a acheté une quinzaine d'hectares.

Pour la Saint-André, le grand marché de Chartres, nous partions à pied, mon père et moi. C'était une affaire d'hommes. Pas assez de place dans les auberges pour qu'on puisse prendre le bourri ; le tramway plein à bloc. On s'en allait de bon matin pour faire nos quinze kilomètres.

Chartres était rempli de marchands de toutes sortes. Ils vendaient trois ou quatre couteaux pour vingt sous, des ballots de couvertures pour dix francs, des paletots de soldats, d'occasion, qu'on porterait en limousine dans les champs.

Les paysans achetaient une vache, un poulain de six mois, ramenés le soir même. Ceux d'Aufferville, de

Luplanté, de Saint-Loup, ils revenaient tous ensemble, les chevaux attachés les uns derrière les autres par la queue. Contents de leurs achats, les bonshommes bavardaient ; ça ne paraissait pas long.

Le lendemain de la Saint-André, tous en causaient dans le pays : " Un tel a acheté une vache, un tel un cheval. " Ils allaient les uns chez les autres admirer les bêtes.

J'avais peut-être huit ans pour Buffalo Bill. De toute ma jeunesse il n'y a que là qu'on a été : voir Buffalo. Les journaux avaient fait de la propagande. Des affiches l'annonçaient. Les enfants en parlaient ; les grands aussi, faut croire, puisque mon père nous y a emmenés dans la carriole avec Papillon. Des dizaines de milliers de personnes à Chartres, sur les Grands Prés. Les hommes avec leurs casquettes et leurs blouses bleues plus ou moins fanées, une culotte de velours et les galoches bien cirées. Un temps beau comme tout ; la foule m'étouffait à moitié ; quand mon père est revenu d'acheter des billets, sa blouse lui collait.

C'était la guerre : les Peaux-Rouges à cheval, ils se foutaient des coups de fusil, des coups de canon, les chevaux se couchaient, les cavaliers tombaient. Tout ça mourait. C'était fantastique.

Ça a duré l'après-midi. Les Peaux-Rouges portaient des grandes plumes ; au galop ils ramassaient des mouchoirs. Des cavaliers passaient à toute allure, un pied sur un cheval, un pied sur un autre, et un troisième cheval au milieu.

Et puis Buffalo Bill est venu. Je ne sais plus à quoi il ressemblait, mais son cheval était noir et saluait la foule. Un cavalier jetait en l'air des coquillages. D'une

main, Buffalo les cassait à coups de carabine, au pas
d'abord, et puis au trot, au galop.

On est rentré à la nuit. Longtemps après on a parlé de
Buffalo Bill... vous pensez bien, on n'avait vu que ça.

Vers cette époque-là, monsieur Leblanc a vendu son
château à un général en retraite. Le général de Reignery
avait deux chevaux, des canards et des poules qu'il
faisait courir dans le jardin, et une ordonnance que l'armée lui prêtait. Le château ne faisait pas tellement château
de riche.

J'ai toujours beaucoup aimé les animaux. Je ramassais les levrauts dans les champs et je les élevais avec
une cuiller. Jamais on ne les mangeait. Je ramassais des
mulots plein ma chemise. Je dressais des pies qui me
parlaient.

Quand le général a fait venir deux chèvres des montagnes, ça m'a rappelé la bique blanche que j'aimais tant.
L'une des chèvres eut une chevrette. Je dis à mon père :

— Donne-moi des sous. Il faut que tu me donnes
des sous. Je veux acheter la chevrette.

— Je veux bien, mais pas plus de trois francs.

J'avais crainte, vous pensez, que cette bête vaille plus.
J'ai volé quarante sous à mon père et j'ai été chez le
général. Il m'a vendu la chevrette pour cent sous et j'ai
dit chez moi que je l'avais eue pour trois francs. Je l'ai
gardée des années. Ses biquets trottaient sur le toit de
chaume et le broutaient, tant et si bien qu'à la fin ça
pleuvait dans la maison.

Quand j'ai eu dix ans, mon père m'a acheté un cent
d'oies. Je les menais aux champs le matin, à midi, et
surtout après quatre heures. Pour les garder, je tenais

un grand bâton avec une patouille au bout. Défense de
passer près des mares, les oies auraient sali l'eau, les
plumes auraient fait du mal aux bêtes qui allaient boire ;
attention au garde champêtre... Oh ! un brave homme,
le garde champêtre, il avait au moins soixante-quinze
ans.

Avec ça, le jeudi, obligé de mener les oies tout l'après-
midi. Mais les copains venaient jouer avec moi. La
moisson enlevée, nous gardions les oies dans les chaumes,
elles mangeaient du blé, elles s'étalaient, on s'amusait.
Nos sabots restaient au bout des champs et on trottait
nu-pieds comme des lièvres. Quand les oies s'envolaient,
nous étions plusieurs à courir et à les rassembler.

Le jeudi nous avions aussi le catéchisme.

Le curé Blanvillain était un bonhomme de cinquante-
cinq ans. Il jouait au billard avec mademoiselle Marguerite, la fille du général. Le catéchisme durait une couple
d'heures, puis le curé nous emmenait souvent au château
où mademoiselle Marguerite nous passait des projections,
nous donnait des bonbons.

A Saint-Loup, c'est une femme qui sonnait les cloches,
une fille-mère dont le fils s'appelait Stanislas, comme
monsieur le curé. Nous, les gosses, on disait à Stanislas :

— Toi, va donc ! C'est le curé qui est ton père !

Un jeudi, Stanislas fait une bêtise au catéchisme et le
curé lui donne une gifle. Stanislas se dresse :

— Vous avez pas le droit. C'est quand même pas vous
mon père !

Vous pensez si les gamins riaient, et le curé aussi.

A force de grandir, j'ai commencé à m'intéresser aux

filles. Les grands de l'école, on achetait des cartes postales. On écrivait un petit mot dessus pour nos bonnes amies. Ma première copine s'appelait Ida. Je lui apportais des bonbons et je m'asseyais à côté d'elle à l'école. Elle était brune, un peu. Au catéchisme, je m'asseyais à côté de la petite Thérèse de la Bourdinière. C'est elle qui m'apportait des bonbons parce que sa mère était épicière.

A douze ans j'ai fait ma première communion, j'ai eu mon premier costume long. J'étais enfant de chœur.

Les gens de Saint-Loup étaient plus religieux que maintenant ; les femmes allaient à la messe et aux vêpres chaque dimanche, mais pas tous les hommes. Le maître d'école jouait de l'harmonium et chantait, jusqu'au jour où les députés ont voté la séparation de l'Église et de l'État ; alors il a décroché le crucifix dans l'école, et il n'est plus revenu à la messe.

Chaque dimanche il y avait procession. Le curé marchait en tête ; suivait une bannière, blanche pour les filles, bleue pour les garçons avec des rubans qu'on tenait par le bout. On sortait de l'église, on traversait le cimetière et on revenait. Les jours de fête, comme Pâques ou le 15 août, la procession parcourait le village et s'arrêtait aux croix.

Pendant la messe, deux chantres allaient et venaient dans le chœur de l'église avec leur livre. Ça s'appelait battre chape.

Chaque famille cuisait le pain béni à son tour. Au milieu de la messe, les garçons portaient sur un brancard le pain au curé qui le bénissait. Puis ils le ramenaient aux bancs d'œuvres et les riches, les propriétaires, découpaient le pain béni. On mettait de côté le premier morceau, " le chantiau " ; ceux qui avaient cuit le pain de la semaine le porteraient après la messe à la famille qui cuirait le pain du dimanche suivant. Ainsi, le pain béni faisait le tour du village.

Nous étions trois ou quatre enfants de chœur. Nous avions chacun notre semaine quand nous servions la messe le matin à sept heures. On gagnait quatre sous ; quatre sous aussi pour les mariages et les enterrements. Je me souviens que les hommes portaient le cercueil sur deux bâtons, de la maison du mort à l'église. Si la maison était loin et le cercueil lourd, on le posait de temps en temps sur des chaises. Un membre de la famille du défunt marchait derrière le cercueil, avec sous un bras du pain enveloppé dans un torchon propre, sous l'autre un litre de vin rouge. Il déposait ça à la sacristie. La tradition le voulait.

Pour toutes les cérémonies, les hommes mettaient leurs anciens habits de mariés : redingote et gibus. Les voilà vieux et gros ! Leurs habits n'allaient plus. On se serait cru à un carnaval. Les culottes craquaient aux génuflexions.

Dans les jours de Vendredi Saint, le curé faisait de l'eau bénite pour les gens du village. Une bonne vieille nous envoie en chercher à l'église. Nous étions trois ou quatre : Perrier, Albert Barbet qui a été tué à la guerre de 14, et Chareau qui a été tué aussi. Une fois plein le seau de la vieille dame, l'un de nous dit :

— Il y a seulement pas d'eau bénite dans les bénitiers.

On commence à les remplir.

— Tiens, je vais pisser dans un.

Je monte sur le banc, je pisse dans le bénitier de droite,

et puis nous voilà partis, c'est fini. Le lendemain je tombe malade de la grippe.

Les filles du château et madame la Générale qui allaient à la messe tous les matins se sont bien rendu compte que l'eau bénite n'était pas normale. Elles en parlent au curé et le curé demande des explications le jeudi suivant au catéchisme. Comme j'étais absent, eh bien ! mes copains m'ont vendu. Le curé vient chez nous. J'étais sûr d'être battu. Mon père me dit :

— Quand tu seras guéri, tu iras faire des excuses.

Au bout de quelques jours, ma mère me mène jusqu'à la porte du presbytère, un portail vert, en gros bois. Maman me pousse :

— Va, va faire tes excuses.

Je me vois encore. Je monte, je passe dans l'allée des buis, je frappe à la porte. Le curé ouvre, je dis :

— Bon, et voilà, je m'excuse.

— Tu te confesseras, me dit Blanvillain.

Quand j'ai été à confesse, le bon vieux m'a donné un *pater* et quelques *ave*. Pour le pire de mes crimes, je n'ai pas été fouetté.

Les gens ne fêtaient pas la Noël, mais le premier janvier. C'était le Père Janvier. Dans les souliers, ma mère mettait deux ou trois bouts de chocolat, un oignon, une pomme de terre, une pomme d'orange. La pomme d'orange, on ne la mangeait jamais ; ça semblait trop beau et on la mettait sur la cheminée ; on la laissait là jusqu'à ce qu'elle soit pourrie.

Le matin du 1er janvier, les enfants souhaitaient la Bonne Année à tout le monde dans le pays. Ils arrivaient dans les maisons et disaient :

— Bonjour, Messieurs Dames, on vous souhaite une bonne année et une bonne santé.

Au château, ils nous donnaient deux, trois bonbons, et peut-être deux sous. On arrivait à ramasser dix sous dans la matinée, les poches pleines de pommes ou de calots, des noix. Les enfants de tout le monde faisaient ça. Ce jour-là, comme pour la Saint-Loup, on faisait un petit repas. On mangeait un pot-au-feu de trente sous et du pain du boulanger.

Parce que sans cela chaque famille faisait son pain avec du blé et du seigle et cuisait tous les huit jours. D'ordinaire, le boucher ne s'arrêtait qu'au château, à l'école et au presbytère. Dans les chaumières on buvait le café au lait le matin. A midi venait le pot au cochon avec des choux et des pommes de terre. Le soir, ça s'appelait la fricassée ou le rata : des pommes de terre cuites à l'eau avec un ou deux oignons pour donner du goût. Sur du pain grillé devant la cheminée, on étalait du fromage blanc. Même les malheureux mangeaient du fromage blanc.

On buvait du cidre, pas bien fort parce qu'on ajoutait trois cents litres d'eau à cent cinquante kilos de pommes. Tous les jours de novembre, on mangeait la rôtie au cidre doux en guise de soupe : du pain grillé que la mère jetait dans une casserole de cidre chauffé. Elle posait la casserole au milieu de la table et tout le monde mangeait avec sa cuiller dans la même marmite.

Pendant les grandes vacances, les enfants aidaient à la moisson. Ils passaient les liens sur les bottes, puis ils allaient glaner, nu-pattes, à moitié dépouillés, à travers les chaumes. Il y en a qui glanaient un quintal, deux quintaux.

Comparé aux enfants d'aujourd'hui, j'étais peut-être pauvre, mais comparé à beaucoup d'enfants du village à cette époque-là, j'étais déjà à moitié aisé. Mes parents n'avaient que deux enfants, jamais je n'ai jeûné. Beaucoup de mes camarades dont le père gagnait vingt-cinq sous par jour mangeaient des pommes vertes. Ils couchaient ensemble sur des paillasses. A l'école et au catéchisme, on attrapait des puces et des poux. Ma mère nous coiffait avec un peigne fin ; les poux tombaient sur un journal et on les écrasait au fur et à mesure. Tout le monde se faisait couper les cheveux à un demi-centimètre.

J'avais douze, treize ans quand ma sœur a été malade. Elle souffrait de l'appendicite. Les gens disaient :

— Un tel a les coliques de miserere.

Deux jours après on l'enterrait.

Enfin, ma sœur n'en est pas morte. Mon père et ma mère restaient autour d'elle le jour comme la nuit, éclairés par une seule chandelle. C'était l'hiver et dans la mare je cassais de la glace qu'on mettait dans une vessie de cochon pour lui poser sur le ventre. Ça a d..... semaines. Moi, j'avais peur. Tous les deux ou trois jours, le médecin de Meslay-le-Vidame venait en voiture à cheval avec son chapeau haut de forme et sa redingote. C'était un Monsieur ; quand il arrivait à la maison, tout le monde restait au garde-à-vous.

De plus en plus, je voulais devenir charretier. En allant aux champs aux oies, j'allais trouver les charretiers, je les suivais.

— Prends la charrue, petit gars.

Et voilà, ils me montraient à labourer. Je connaissais tous les chevaux, comme je connaissais tous les charre-

tiers, les jeunes et les vieux de soixante-dix ans. A quatorze ans, je labourais aussi bien qu'un autre.

En juillet 1911, j'ai dit adieu à l'école. Mon père avait
acheté une faucheuse-lieuse ; c'est moi qui l'ai menée
cet été-là, la première faucheuse-lieuse du village, tirée
par trois chevaux. Vous pensez si j'étais fier et, la moisson finie, je suis tombé malade parce que je n'en pouvais
plus. Dans ce temps c'était la mode, on voulait toujours
en faire plus. Celui qui avait la force de porter cinquante
kilos en portait soixante-quinze.

Mon père avait payé sa faucheuse-lieuse mille francs.
Avec elle, il économisait quatre ouvriers par moisson,
quatre cents francs sans compter la nourriture. Surtout
qu'à ce moment-là la main-d'œuvre devenait déjà plus
rare.

Pourtant, tout le monde critiquait la faucheuse-lieuse ;
soi-disant qu'on coupait l'ouvrage aux moissonneurs qui
venaient. Et puis les charretiers ne connaissaient que
leurs charrues, ils ne voulaient pas s'occuper des machines.
Dans les fermes, il n'y avait même pas une clef anglaise.
Ce sont les jeunes de nos âges qui ont essayé de comprendre.

Dans ces années-là, on était regardant à un épi, et les
autres cultivateurs qui voyaient la faucheuse-lieuse
disaient :

— Je ne veux pas une machine comme ça, elle gas-
pille le grain.

Quand même, tout doucement, il y en a d'autres
qui en ont acheté.

Mon père m'a payé un vélo pour cent vingt-cinq
francs : j'allais à Chartres avec Albert Barbet dont la

mère habitait la ville. On montait au camp d'aviation. Il y avait peut-être un ou deux avions là, les ailes faites avec de la toile et de la colle.

La mère Virginie, une vieille bonne femme, m'avait donné un corbeau. Il causait, il imitait les chiens, les poules, mon père ; jusqu'aux gamins de Luplanté qui venaient pour le voir. Justement j'ai perdu mon corbeau la première fois qu'un avion s'est posé sur la commune. Tellement il est venu du monde de partout, avec des charrettes, des bourris, à pied... tellement que mon corbeau s'est sauvé et s'est perdu.

Mon père s'agrandissait ; il avait trois chevaux et un commis. Je rêvais d'être cultivateur. Je ferais mieux que les autres. Pas plus travailleur, impossible. Mais je rêvais au progrès, aux nouvelles méthodes. Je trouvais que les vieux étaient routiniers, qu'ils vivaient seulement comme ils avaient été élevés. Ça me convenait pas.

Avec le petit commis de mon père, nous allions chercher des pierres à Saumeray, pour mettre sur les routes ; neuf kilomètres aller, neuf kilomètres retour, trois francs cinq sous le mètre cube. On nous appelait " l'attelée jaune " parce qu'on avait trois chevaux jaunes, des moitiés de sang puisque mon père n'avait pas de sous pour en acheter des mieux. Je voyais passer des fils de patron, des leggings sur les jambes, de beaux attelages avec de beaux colliers. Oh là, comme c'était beau ! Et nous derrière, pas bien habillés, et ces chevaux maigres...

Je me disais : " Mais enfin, 'Phraïm, faudra que tu te démerdes. " J'avais ça dans l'idée : " Faut que j'arrive, et puis c'est tout. "

2

L'adolescence

Me voici donc charretier chez mon père.

Quand il s'était mis à son compte, ma grand-mère lui avait donné cette maison que nous habitions, trop petite pour une ferme.

Mon père a d'abord ajouté une étable, puis une écurie à deux chevaux qui s'est trouvée trop étroite quand on a eu le troisième cheval qu'il a fallu loger dans l'étable.

A ce moment-là, on commençait déjà à commander la maçonnerie à des gens de métier. Mon père a fait construire un petit hangar, puis une grange pour l'avoine. Le blé restait en meule jusqu'à ce que l'entrepreneur vienne pour les battages.

Tous ces bâtiments étaient couverts en paille. En 1913 mon père a fait recouvrir la maison, l'étable et l'écurie de tuiles. Ça commençait à se voir dans le pays : la peur des incendies et des orages.

Je connais bien vingt endroits à Saint-Loup où le tonnerre est tombé. On craignait la foudre bien plus que maintenant. En mai 1910, elle nous a tué Colibri, notre cheval. Pauvre Colibri, de l'oreille au pied droit ça l'avait brûlé, mais son frère Papillon à côté de lui n'avait rien eu. Le même jour, l'orage a découvert tout le clocher de l'église. En 1917 la foudre est encore tombée chez nous, sur la cheminée de la maison ; elle a brisé des pavés et cassé des assiettes dans le placard.

Mon père cultivait vingt-cinq hectares, une cinquantaine de champs, certains inaccessibles dans le milieu des autres, en long, en large ; les plus petits faisaient six ares. Avant le remembrement un champ de trois hectares était un miracle.

Naturellement la plaine était couverte de monde. Pour faire du blé on labourait trois fois : le premier coup à quatre, cinq centimètres ; le deuxième plus creux ; le troisième coup, il fallait que la charrue trace une raille dans laquelle la herse enterrerait le blé semé à la main.

Dans la ferme de mon père, à quelque chose près, on récoltait huit hectares en blé, huit en avoine, huit en fourrage et en betteraves. Il fallait un petit champ d'orge pour les deux ou trois cochons qu'on élevait par an.

On avait donc le blé à vendre. L'avoine, on la battait soi-même au fléau, pour les chevaux. Le fourrage et les betteraves nourrissaient les vaches. On vendait le lait, le fumier retournait aux champs. Quand mon père s'agrandissait, il gardait une vache de plus pour le fumier.

J'occupais deux chevaux à labourer. Avec le troisième, mon père allait à l'herbe ; il binait les betteraves, curait l'étable. Ma mère trayait les six ou sept vaches, s'occupait de la cuisine et de la lingerie.

Nous n'étions plus que trois. Ma sœur s'était mariée en 1911 avec Clément, son vieux copain d'école. Mon père leur avait donné une petite maison héritée de la vieille tante paralytique morte chez nous. Clément montait une briqueterie au bout du pays. Ça marchait pas mal.

En hiver, mon père me réveillait à quatre heures et demie. Je couchais toujours dans l'étable. Il m'apportait la lanterne tempête qu'il pendait à un clou. A chaque cheval, je donnais sa botte de fourrage et quatre litres d'avoine que je puisais dans un coffre qui s'appelait le provendier. Et puis je me recouchais un peu.

A cinq heures je me relevais pour panser mes chevaux pendant une demi-heure. J'allais chercher de l'eau dans la mare avec deux seaux, je leur donnais à boire. Ensuite je déjeunais : du pain, un bout de cochon, du fromage et un coup de cidre coupé d'eau.

Mon père m'envoyait dans les champs dix minutes avant le petit jour, pour qu'aussitôt arrivé je puisse travailler. Toute la matinée... Je dételais pour arriver à la soupe de onze heures. Certains chevaux connaissaient l'heure ; arrêtés dans le bout du champ, ils ne voulaient plus remonter, ils sentaient la soupe.

Si j'étais loin, je dételais, cinq, dix minutes, un quart d'heure d'avance, le temps de m'en venir, monté sur un cheval. Je soignais mes chevaux, à boire, quatre litres d'avoine et le fourrage, un peu avant, un peu après ma soupe pour qu'ils ne mangent pas trop vite. Au moment de repartir, je les habillais ; un petit coup sur la crinière, que ce soit propre. J'enlevais la crinière de dessous le collier, ça pouvait les blesser et les rendre malheureux. A une heure je repartais.

Certains jours, le midi ou bien le soir me prenait que je n'y avais pas songé. En allant doucement les chevaux ne souffraient pas, ils étaient habitués. Le temps semblait court. Comme les champs étaient petits, je trouvais

toujours un copain pas loin. Il allumait sa cigarette.
On arrêtait là les chevaux et puis on causait. Cinq minutes.
Un patron ou bien mon père, il admettait qu'on fasse
souffler les chevaux cinq minutes, mais un quart d'heure
ça n'allait pas. Le boulot ne se faisait plus et les chevaux
se refroidissaient, risquaient la gourme. Par la pluie, je
restais en champs, mais sans m'arrêter pour que les chevaux n'aient pas froid.

Aussitôt la nuit, je m'en venais. Je soignais mes chevaux. Toujours les quatre litres d'avoine, la botte de
fourrage, la paille, la litière, celui qui a soif.

En hiver, après le souper, j'aidais mon père à battre
l'avoine pendant une heure, une heure et demie, au fléau,
dans la grange.

J'en ai eu de la chance de travailler chez mon père !
Dans les grandes fermes, tout était militaire. Je vais
vous les raconter, ces grandes fermes.

Elles louaient leurs compagnons deux fois l'an, pour
la Toussaint et la Saint-Jean, un terme d'hiver et un terme
d'été ; le même prix à gagner dans les huit mois que dans
les quatre, jusqu'à trois cents francs par terme pour un
maître charretier, deux cent cinquante ou deux cents
pour les moins bons.

Les " louées ", c'était le marché, un commerce d'hommes, plein d'ouvriers : les charretiers avec leur fouet
sur le cou ; le berger avec sa houlette et son gros paletot,
sa limousine ; les vachers ; des gamins de quatorze ans.

Beaucoup de monde. Les ouvriers venaient à pied, à
vélo plus tard. Ça commençait le matin à sept heures.
Un patron se promenait, cherchait un charretier, voyait
un gars avec un fouet :

— Tu as un patron ?

— Bien, non.

— Tu es de quel pays ? Où étais-tu ?

— J'étais chez un tel.

— Tu connais la faucheuse-lieuse ? Ton prix ?

— Deux cent soixante.

— Je te reverrai tout à l'heure.

On essayait de voir l'ancien patron pour quelques renseignements.

— Alors, ça marche. Viens demain matin. Voilà tes cent sous.

Les cent sous, c'était la tradition. Pas de papier, pas de signature ; une fois la pièce échangée, marché conclu et le charretier s'amenait le lendemain midi pour la soupe avec son fouet, ses godillots. Il pouvait demander un acompte ou deux.

A la fin du terme, si le patron voulait garder un compagnon :

— Tu es bien habitué avec nous ?

Dans les derniers quinze jours du terme, tous les commis s'interrogeaient :

— Tu as été redemandé ? Qui a été redemandé ?

Les charretiers couchaient dans l'écurie, les vachers dans l'étable, les bergers dans la bergerie ; ils avaient des lits superposés.

A trois heures et demie, quatre heures du matin selon la saison, le patron plaçait la lampe dans le judas. Le maître charretier réveillait les autres et ils soignaient les chevaux ; cinq litres d'avoine par repas ; ils mangeaient plus que les nôtres parce qu'ils étaient de gros chevaux de trait, tandis que mon père avait des postiers.

Les charretiers partaient dans les champs à six heures du matin. Dans les jours les plus courts de l'année, ils attendaient l'aube au bout du sillon. Le soir, ils ne rentraient à la ferme qu'à six heures et, quand la nuit tombait trop tôt, ils s'arrêtaient à l'entrée du village, se mettaient à l'abri d'une meule s'il pleuvait, pour attendre l'heure.

Un charretier se retardait de cinq minutes pour finir un champ, le patron lui disait : " Si ça se reproduit, je te fous à la porte. " C'était la discipline. Un ouvrier renvoyé au milieu du terme devait aller à Chartres dans les bureaux de placement. Il se trouvait souvent placé loin de chez lui, sans moyen de transport, et restait des mois sans revenir.

Les charretiers partaient : le maître charretier sortait d'abord de l'écurie, puis le deuxième et le troisième, dans l'ordre. Quand ils revenaient, si le deuxième charretier était en avance, il attendait le maître charretier, pour qu'il rentre le premier dans la ferme.

A table, le maître charretier coupait le pain le premier, se servait le premier. Quand il avait fini de manger, il pliait son couteau et tout le monde se levait. A chaque homme, son rang : le deuxième charretier servi le deuxième, le troisième ensuite, et comme ça jusqu'aux galvaudeux, ceux qui s'occupaient des moutons, des vaches, qui travaillaient à la maison. Les charretiers étaient les rois et leur patron, c'était le maître charretier.

Tous les compagnons devaient arriver à la soupe ensemble. On mangeait dans la cuisine, dix ou quinze. Dans certaines fermes, une pancarte défendait de causer à table. Il y avait des bonnes. Des filles de quatorze ans se louaient deuxième bonne ou petite bonne. La maîtresse bonne cuisait le pain.

Le patron et la patronne ne mangeaient pas avec le commis. On les servait à une table à part ou dans une autre pièce. On appelait les patrons " Monsieur ", " Madame " ; pour leur parler on ôtait la casquette.

Des parents louaient leur gamin à partir de treize ans pour une cinquantaine de francs le terme. Il aidait la bonne, sciait du bois, descendait à la cave tirer du cidre, lavait la vaisselle, aidait le vacher. Il était libre le dimanche après-midi, pas le temps d'aller chez lui. Il ne revoyait ses parents qu'à la fin du terme.

Le berger faisait un rude métier : toujours déplacer ses moutons pour que le fumier soit bien réparti, trop de fumier dans un endroit et le blé verserait avant la moisson. Le berger couchait dans sa roulotte près de son troupeau et chaque nuit, à minuit, il se levait pour faire passer les brebis d'un parc dans l'autre.

Quand j'ai eu quinze ans, finies les blouses ; c'était la mode du velours et ma mère m'a acheté un costume de velours côtelé noir chez un marchand de Luplanté. Trois pièces avec le gilet, pour le dimanche : soixante-dix francs. Pensez si j'étais fier, tout le monde n'en avait pas autant.

Mon père ne me payait pas, mais le dimanche il me donnait quarante sous ; cinq francs les jours de fête. J'allais avec les grands gars de dix-sept, dix-huit ans tous les dimanches ; ils m'acceptaient parce que j'avais déjà un peu de sous et que je faisais le charretier. On jouait au billard, quelquefois même en semaine, après le souper, au café, chez Achille Pommeret.

Les garçons formaient deux groupes : d'abord les maîtres gars du pays qui revenaient du service, ensuite nous, les plus jeunes, qui étions une quinzaine.

Tous les hommes de Saint-Loup venaient au café. Saint-Loup en comptait cinq, plus un à Chenonville, un au Temple et trois à la Bourdinière. Chez Achille Pommeret, sur la place, c'était toujours plein de monde, même en semaine, des voitures attelées tout autour : le boulanger, des marchands d'étoffe, des marchands de grain ou de bétail. Ils jouaient à la manille pour de l'argent. Ils buvaient de l'Amer Picon ou de l'absinthe. Les ouvriers buvaient la goutte à partir d'un sou.

Nous, les jeunes, nous buvions des mêlés-cassis, de la goutte avec du cassis. Les grands gars jouaient drôlement bien au billard, ils nous apprenaient. Des fois on jouait à la poule. On dépensait quatre, cinq sous.

La bonne du bistrot s'appelait Renée. Elle était un peu démerde, et de temps en temps quand j'avais pas le sou, elle s'arrangeait pour ne pas me faire payer. Elle s'était débrouillée pour qu'on soit le parrain et la marraine d'un même gosse, mais elle s'est en allée à Chartres. On était pourtant bien ensemble, mais vous savez... Chartres c'était fini, c'était trop loin.

Après, ma copine a été... tiens, je te dis pas son nom, elle vit encore et par ici. Disons qu'elle s'appelait Françoise. Mais laisse-moi d'abord t'expliquer qu'à cette époque-là les garçons et les filles n'attendaient pas forcément le mariage. Saint-Loup avait deux pompes, pas de lumières dans les rues, on allait chercher l'eau le soir à la brunette. Ou bien les filles allaient en commission à l'épicerie. Autour de cinq heures et demie, six heures, le pays passait, se rencontrait. Pendant que les vieilles causaient, les filles s'écartaient tout doucement. Les charretiers s'en venaient des champs. Ils lâchaient leurs chevaux, embrassaient la fille. On se voyait presque tous les jours.

Pendant le Carême, le curé faisait la prière deux fois la semaine après le souper. Les filles chantaient. Les garçons restaient en bas de l'église pour ramener les filles chez elles. Ça permettait de se rencontrer, un peu comme une fête.

Donc, Françoise demeurait dans mon coin. Je la voyais presque tous les midis. Cette année-là je faisais la moisson et je rentrais de bonne heure avec la faucheuse-lieuse. Mon père disait :

— Surtout, ne travaille pas dans la rosée.

Je m'en revenais donc quand le père et la mère de Françoise, les miens étaient encore dans les champs. Je dételais mes chevaux, j'allais par-derrière, je sautais le mur. C'était vraiment une bonne fille. On faisait déjà l'amour point mal. Oh, tout le monde savait ça...

La moisson finie, comme je rentrais en même temps que le monde, je me débrouillais pour passer par la ruelle et je venais aider Françoise à soigner le cochon de ses parents. Ma mère le savait bien. Elle me disait :

— Tu as encore été soigner le cochon !

Nous, les garçons et puis les filles, on aimait danser. Des bals, il y en avait : la fête de Saint-Loup en septembre, les Trois Maries à Mignière deux fois l'an, la Saint-Jean à la Bourdinière, et la Saint-Pierre à Ermenonville-la-Grande, la Saint-Gilles et la Saint-Blaise à Luplanté, la Saint-Denis à Vitray. Sans compter les mariages et le carnaval.

Un bal commençait à huit heures et demie du soir. Mettons que ce soit dans un autre village, on allait à pied, par petits groupes. Les filles partaient de leur côté. Leurs mères s'assemblaient pour les surveiller. Les garçons marchaient ensemble. On chantait : *A la claire fontaine*, *Auprès de ma blonde*, *Viens, poupoule*. Le groupe des filles chantait aussi et tout le monde arrivait à la fête. Des bals pleins à craquer, trois cents personnes. Les vieilles étaient assises tout autour avec les laines de leurs filles sur les genoux. Trois musiciens faisaient l'orchestre; disons un violon, une flûte, une trompette. On dansait la polka, la mazurque, la scottish, et le quadrille.

Ça coûtait dix sous pour entrer, cinquante sous l'abonnement pour danser toute la nuit, sans ça deux sous la danse ou trois sous le quadrille. Entre deux danses les garçons promenaient leur cavalière bras dessus, bras dessous. La femme du balier passait et tous ceux qui n'avaient pas la cocarde de l'abonnement au veston payaient leurs deux sous. Puis on prenait sa cavalière par la taille et ça commençait.

Tout le monde était d'une politesse du tonnerre : " Mademoiselle, voulez-vous danser ? " A ces bals-là, les garçons faisaient danser toutes les filles, et un peu plus leur copine. Toutes, elles s'amusaient, qu'elles soient habillées belles ou qu'elles soient venues danser presque en tous les jours. Jamais une fille ne refusait un cavalier. On avait été à l'école ensemble, on se connaissait depuis tout le temps comme des frères et des sœurs, des amis.

La nuit se passait comme ça. Quand arrivait deux, trois heures du matin, des gars demandaient à une fille :

— Est-ce que je peux te ramener ?

— Je vais demander à ma mère.

Les couples rentraient par les chemins ; les bonnes femmes suivaient leurs filles à dix, quinze mètres. Il y avait des mères qui portaient une lanterne. On embrassait la fille quand même.

Moi, j'étais bien avec toutes les filles. Je sortais Maria Jeandron qui était copine avec Alice Moulard. En revenant du bal, on raccompagnait Alice et puis je ramenais Maria chez elle. J'embrasse Maria. Qu'est-ce que je vois dans le noir ? Deux grands yeux à un mètre. Assis sur une borne le père Jeandron me regardait. J'avais quinze ans, il m'a foutu le trac, j'en ris encore.

Sept ou huit bals par an, ça ne suffisait pas et on organisait le petit bal du pays au bistrot ou dans une grange. Julien Dunas, le sabotier, jouait du violon. C'est lui qui nous faisait danser. Pour sa soirée on lui donnait vingt sous. Il nous jouait de ces polkas sur son violon :

> *T'as bu, bonhomme, t'es saoul,*
> *T'es saoul, bonhomme, t'as bu.*

ou bien,

> *C'est la fille de la meunière*
> *Qui dansait avec Thomas.*

Julien, c'était un bon vieux gars, il nous amusait avec son crincrin. Sans doute qu'il avait appris tout seul. Sa femme venait aussi et elle montrait aux jeunes à danser. Moi, c'est ma sœur qui m'avait appris, et à quinze ans je dansais comme un maître gars.

Tous les quinze jours on avait donc notre petit bal jusqu'à la police, la fermeture du bistrot à dix, onze heures du soir. Des fois on demandait l'autorisation à la gendarmerie d'une couple d'heures de plus. Les mères venaient, s'asseyaient autour de tout ça. Quelle ambiance ! Tout le monde riait.

A la gendarmerie de la Bourdinière, ils étaient quatre ou cinq gendarmes, avec chacun un cheval. Un soir que nous dansions passé l'heure de la police, voilà les gendarmes qui arrivent au galop et qui foutent un procès à tous les gars et à toutes les filles. Le jour venu, les jeunes se sont endimanchés pour aller à Illiers se faire condamner par le juge, sept francs chacun. Une vraie petite fête !

Au Mardi Gras on faisait Carnaval. Les garçons portaient des masques et se déguisaient, le plus souvent avec les jupes de leur mère ou de leur sœur. On supposait que les filles ne savaient pas avec qui elles dansaient.

Le 30 avril, les garçons se réunissaient après le souper. On avait acheté du laurier chez les bonnes gens pour faire les mais. On comptait les filles du pays, quel que soit leur âge. Celles qui étaient venues au monde la veille, on leur faisait un petit mai ; pour les grandes filles, un grand mai. On posait aussi un mai aux conseillers municipaux, au curé, au maître d'école, au châtelain.

A minuit, on buvait du vin chaud ou une goutte et on partait. Il y en avait qui portaient les mais, d'autres des pointes et des marteaux. A toutes les portes on savait : " Tiens, là c'est Janine, ou Lucie. " On leur accrochait un mai. Le lendemain, elles se réveillaient, et elles avaient un beau mai de planté.

Le dimanche d'après, on préparait le gros mai avec du

laurier et du lilas. L'après-midi les garçons partaient avec le sabotier et son violon. Ils faisaient le tour de toutes les maisons où ils avaient planté les mais l'autre nuit. On faisait danser les filles dans la cour de leur maison, une petite danse. La fille repartait avec nous, on dansait chez tout le monde. Les mères nous donnaient deux sous, dix sous. On allait chez le conseiller, le curé et les autres qui nous donnaient plus. Enfin, on vendait le gros mai aux enchères. Si une fille était près du mariage, son père ou son bon ami achetait le mai pour quatre francs ou cent sous et on allait le planter devant sa porte. Il restait là quinze jours, un mois.

Avec l'argent ramassé, les garçons commandaient un souper au bistrot. Après manger, les filles venaient danser, toute la nuit avec le crincrin du sabotier.

A Saint-Loup, il y avait plusieurs mariages par an et presque toujours les gars et les filles du pays se mariaient ensemble.

Un garçon faisait danser une cavalière plus souvent. Ça durait une couple d'années. Tout le monde le savait bien, mais on appelait pas ça des fiancés. On disait :

— Tiens, un tel va se marier.

La noce durait au moins deux jours.

Pour nous les jeunes, voilà comment ça se passait. Le maître gars allait trouver la mariée; il lui demandait si elle voulait qu'on lui fasse " le présent ". Sortis de la mairie et de l'église, les mariés venaient au bistrot, chez Pommeret. Les garçons offraient l'apéritif et des dragées à tous ceux de la noce. La table était toute allongée, avec le marié et la mariée dans le milieu et leur famille d'un

côté. Les garçons de l'autre côté. L'un de nous chantait
la chanson de la mariée :

>   *Remarquez près de vous la jeunesse éveillée...*

tout le monde reprenait le refrain. C'était bien. On trin-
quait avec les mariés et leurs amis. Nous, les garçons,
on faisait la quête. Les mariés nous donnaient cent sous,
les autres invités de la noce ce qu'ils pouvaient. Avec
cet argent on commandait un repas au bistrot.

Ce jour-là on ne travaillait pas beaucoup. Le soir,
les chevaux soignés, on venait à notre banquet de garçons.
Quand arrivait minuit on allait chercher les filles pour les
emmener danser au bal de la mariée.

Trois heures du matin, c'était l'heure du bourri. Deux
gars se déguisaient en âne : un debout, l'autre lui tenant
les hanches, une couverture, une fourche en bois pour
faire les oreilles, une bride, un époussetoir en guise de
queue. Le bourri courait dans le bal. On faisait monter
la mariée. Tout le monde était un peu plein et sautait
sur le bourri; les deux gars avaient chaud.

On buvait jusqu'au jour avec les noceux. Pendant ce
temps-là les mariés se défilaient; ils allaient se coucher
chez un voisin, chez des parents, dans un endroit où ils
seraient tranquilles. Quant à nous, je te jure que le lendemain on était malade pour retourner au boulot.

Les noceux avaient encore un déjeuner, puis ils reman-
geaient le midi et ne s'en allaient qu'à quatre heures.
Mais des fois ça recommençait le soir pour durer trois
jours.

Mon père était conseiller municipal et républicain.
Il votait pour Monsieur Maunoury. Deux fois par semaine
il recevait *le Progrès* qu'il lisait le soir, et puis le midi un
peu. Mon père n'aimait pas trop les riches ; il disait qu'il
avait travaillé chez eux et qu'ils n'étaient pas très corrects.
Il n'aimait pas les militaires et disait toujours :

— Le métier de soldat c'est l'école du vice.

L'autre tendance, c'était celle de droite. Ils lisaient
la Dépêche et votaient pour monsieur de Saint-Paul qui ne
passait jamais.

Car notre député c'était Maunoury. Le monde se dispu-
tait au bistrot mais, pour finir, Saint-Loup, comme tous
les villages par ici, était un pays rouge. Quand un député
venait, tout le monde allait à la réunion et il payait à boire.
Plus tard une loi l'a défendu.

Ici les gens n'étaient qu'à moitié malhonnêtes, ils se
connaissaient trop bien. Prenez un exemple. Un cultivateur de Chenonville avait fait faillite en 1890 ; comme
sa femme était morte, il n'avait presque plus rien parce
que le bien allait à son fils. Il devait de l'argent au pays,
au maréchal-ferrant, au charron, au bourrelier, mais
d'autres créanciers étaient passés d'abord et il n'avait
plus d'argent pour les payer.

Son fils, qui avait gardé les biens de la mère, s'est mis
cultivateur à la Bourdinière. Il a remonté tout ça et trente
ans après la faillite, quand il a marié son gars vers 1910,
il lui a acheté une automobile. Tout le monde en parlait,
c'était un chef-d'œuvre.

Un jour il prend le tramway et la grand-mère Drouard,
de la Bourdinière, se trouve là. Elle lui fait tout haut la
remarque qu'acheter des automobiles c'est beau, mais

qu'il devrait au moins payer le monde. C'est là qu'il a payé les dettes de son père, trente ans après. Il n'était pas tenu de payer mais il a payé quand même parce que ça ne faisait pas bien.

Pour nous, la vie était plus amicale que maintenant. Tous on était pauvres, tous on était amis. Il y avait bien quelques demi-riches qui vivaient parmi nous et ne nous fréquentaient pas. Ils allaient en première classe. Leurs filles ne venaient pas au bal. Et puis les vrais riches, ils vivaient dans un autre monde. Nous, les pauvres, on vivait entre nous.

Tandis que maintenant l'argent fait partout la division. Tu as pas mal de gens qui, parce qu'ils ont un peu de sous, se croient supérieurs aux autres. Même du monde bien, le jour qu'ils ont de l'argent, ils sont fous.

3

Le début de la guerre

C'était un vendredi. La moisson avait du retard et presque tout le monde était aux champs, sauf nous les jeunes. Nous enterrions Lucien Barbet, un gars de la classe 14, mort subitement au travail. L'enterrement avait eu lieu à dix heures. On disait déjà :

— Il y en a qui sont partis pour garder les lignes, la guerre va venir. Elle va venir.

Comme d'habitude après les enterrements, il y a eu un repas. Nous, les copains de Lucien, on a mangé chez les Barbet. Après le repas, comme il était à peu près deux heures, deux heures et demie, et qu'on discutait sur la place, voilà les gendarmes qui arrivent au grand trot sur leurs chevaux. Ils vont droit à la mairie. Là, ils trouvent le maître d'école, et le maître ressort avec l'affiche dans les mains, l'affiche blanche avec deux drapeaux en croix :

MOBILISATION GÉNÉRALE

Le maître nous crie :

— Allez dire à Achille qu'il sonne la trompette, à Cagé de prendre son tambour. Vous, les gars, sonnez le tocsin.

Alors, moi et Albert Barbet qui a été tué à la guerre,

on a sonné le tocsin. Le monde, ils ont laissé leurs faucheuses; les charretiers ont ramené leurs chevaux. Tout ça arrivait à bride abattue. Tout ça s'en venait de la terre. Tout le monde arrivait devant la mairie. Un attroupement. Ils avaient tout laissé. En pleine moisson, tout est resté là. Des centaines de gens devant la mairie. Pommeret sonnait le clairon. Cagé battait la Générale. On voyait que les hommes étaient prêts.

— Et toi, quand donc que tu pars ?
— Je pars le deuxième jour.
— Moi, le troisième jour.
— Moi, le vingt-cinquième jour.
— Oh, t'iras jamais. On sera revenu.

Le lendemain, le samedi, Achille se promenait avec son clairon :

— Tous ceux qui ont de bons godillots, de bons brodequins, faut les prendre. Ils vous seront payés quinze francs.

Tu aurais vu les gars. C'était quasiment une fête, cette musique-là. C'était la Revanche. On avait la haine des Allemands. Ils étaient venus à Saint-Loup, en 70 et ils avaient mis ma mère sur leurs genoux quand elle avait deux, trois ans. Dans l'ensemble, le monde a pris la guerre comme un plaisir.

Ils sont partis le lundi. Ils ont laissé leur travail et leur bonne femme comme rien du tout. Le monde était patriote comme un seul homme. Ils parlaient du 75 et du fusil Lebel :

— A un kilomètre, tu tues un bonhomme.

Achille Pommeret, sa femme était malade d'accoucher; il a pris le tramway à la Bourdinière; il a pas voulu savoir si c'était un gars ou une fille.

Voilà les hommes partis. Avec la moisson tardive de cette année-là, il restait beaucoup à faire. Toutes les femmes, les jeunes, les vieux, tout le monde à la moisson. Ceux qui avaient fini leur récolte allaient aider les autres. On a rentré tout ça.

Pour les battages, des soldats sont venus : des vieux, des territoriaux, des gars blessés dans les premiers jours, des auxiliaires, des gens du Nord, du Sud. Là, on a commencé à avoir des contacts avec toutes sortes de monde, toutes ces sortes de soldats. Quand ils venaient manger à la maison, on leur demandait :

— Comment c'est, la guerre ?

Jamais on n'avait vu des étrangers comme ça.

De la guerre, on en parlait tout le temps. Au début les hommes n'écrivaient pas. Il n'y avait que le communiqué affiché chaque jour au mur du jardin du presbytère. Et puis des lettres sont venues. Les gars de l'Eure-et-Loir se trouvaient au 102, presque tous dans le même régiment. Quand ils écrivaient, ils donnaient des nouvelles les uns des autres et les nouvelles allaient de village en village :

— Un tel de Mignières, il est tué. Un tel de Saumeray, blessé.

Des mauvaises nouvelles en permanence. Il y en a qui n'ont jamais écrit.

Maintenant, il fallait ensemencer. Avec le départ des hommes, nous, les jeunes, on était bientôt les maîtres. Les gens venaient me chercher :

— Père Grenadou, faut nous donner votre garçon pour labourer.

Mon père a fait nos labours et j'ai été chez les autres

qui me payaient cher : trente sous par jour. Le blé augmentait : trente francs par sac de cent kilos. Le monde trouvait ça pas mal. J'ai donc été charretier chez une dame dont l'homme faisait la guerre. Elle avait déjà essayé des vieux, mais des vieux qui marchaient pas, sans doute pas bien nourris.

Je lui ai préparé sa récolte. Comme elle avait aussi des vaches, j'avais trop d'ouvrage et j'ai embauché un copain. J'ai pris la direction de la ferme, je me trouvais patron à dix-sept ans. J'ai dit à la patronne :

— Faut mieux nous nourrir.

Après, ça marchait au poil, elle nous donnait du chocolat le matin.

Au bistrot, les bonshommes de cinquante ans disaient à mon copain :

— Faut chérir ta patronne.

Le gars s'est mis à la chérir un peu. Un jour qu'il la chérissait dans l'étable, une bonne femme arrive. La fermière a cru qu'on allait causer. Elle s'amène chez mon père :

— Dites donc, c'est pas le tout, le gamin m'a prise à force.

Mon père n'osait pas rire, mais la fermière était une forte femme et le gars plutôt mincet.

La fermière, toujours avec la peur, écrit ça à son homme, à la guerre. Un méchant, son mari. A mon copain, j'ai dit :

— S'il vient, il te casse la gueule.

Un jour que je rentrais de charrue avec les deux chevaux, je rencontre le mari qui arrivait de la Bourdinière avec son barda.

— Alors, il dit, qu'est-ce que c'est que tout ça ? Tâche que je le verrai pas.

J'ai foncé prévenir le copain à la ferme, et il s'est caché chez nous tant que le mari est resté. Qu'est-ce que vous voulez, les bonshommes partis, les bonnes femmes étaient encore là, et après six mois ça marchait un peu comme ça. Elles nous aimaient bien, les gosses... on grattait, on travaillait et elles étaient contentes. Elles finissaient par nous prendre en amitié.

J'ai passé l'hiver chez elle et mon copain aussi.

C'est pas le tout : la classe 15 était partie au mois de décembre, la classe 16 partirait au mois de mai. En mars 1915 ma classe 17 passait au Conseil de révision.

Monsieur le Maire disait :

— 'Phraïm est maigre, il va pas être reçu.

A Saint-Loup, on était sept ou huit gars de la classe 17, et deux ou trois à Luplanté. Personne ne rêvait à tirer au cul. Les gars n'avaient pas peur. Quand on est jeune... et puis je ne sais pas si on comprenait bien tout ça.

C'est mon père qui a mené les conscrits à Illiers avec son cheval Papillon. On est passé le matin, dix par dix sur la bascule et sous la toise. Je pesais cent cinq livres pour un mètre soixante et onze : " Bon pour le service. " Le maire du village nous accompagnait dans la salle. L'armée lui demandait si le gars avait été malade, des renseignements.

Rentrés du Conseil, malgré la guerre, on a suivi la tradition : après un repas chez Pommeret, on a pris le tramway avec notre drapeau et notre clairon et on a été à Chartres voir les filles. Il y avait trois bordels à Chartres. C'est la première fois que j'entrais dans un bordel, les autres aussi. Il y en a deux qui se sont sauvés quand ils ont vu qu'on allait là-dedans. Pour quelques sous, des filles qui étaient un peu toutes nues ont dansé avec nous. On s'est amusé comme des conscrits et le soir, à Saint-Loup, on a recommencé un petit gueuleton.

Avant, la fête des conscrits durait plusieurs jours, mais il n'y avait pas l'ambiance d'avant la guerre et on est retourné au travail le lendemain.

En attendant, " bon pour le service ". Là, je commençais à pas rigoler, avec toutes les lettres qu'on recevait de la guerre, et puis les morts. L'armée disait :

— Tout le monde dans l'infanterie.

J'aimais les chevaux. De ces soldats venus aux batteuses, certains sortaient de la cavalerie. Je vais voir le général au château :

— Je veux être soldat dans les chevaux.

— Je vais faire le nécessaire.

Ça n'empêche pas que je fasse la moisson. Mais un mois après, le général me montre une lettre qu'il a reçue : rien à faire, tous dans l'infanterie.

Je prends le tramway pour Chartres. Je vois des soldats, je leur cause. Ils me disent que les engagés choisissent leur régiment. Je vais demander au Recrutement. C'est vrai.

— Reviens quand tu auras dix-huit ans.

Le 25 septembre, le jour de mes dix-huit ans, je me suis engagé dans l'artillerie. J'ai dû signer pour quatre ans. Ils m'ont envoyé voir le colonel du 26e d'artillerie, s'il voulait bien me prendre. Ils voulaient un parrain ; j'ai été chercher l'aubergiste de la Barrière Verte. Je suis revenu coucher chez nous et le lendemain je suis parti.

4

L'armée

A mon tour de prendre le tramway avec ma valise.

J'arrive à la caserne, tout seul parce que je suis un engagé. Je présente mes papiers. Un brigadier me mène au magasin d'habillement. Dans un sac à grain, il fourre des vieux godillots, une gamelle, un képi, des caleçons, des houseaux, des éperons, tout un uniforme ; rien de neuf, que des vieux habits qui n'allaient plus au front. Et puis, il m'emmène dans ma carrée :

— Vous allez faire votre paquetage.

Heureusement, un Alsacien se trouvait là, exempté de service. Il m'a dit :

— Je vais te montrer.

C'est lui qui m'a rangé mon paquetage, qui m'a montré à faire mon lit ; il a mis tout ça en rang et m'a drôlement dépanné.

Il m'a appris que je me trouvais avec des gars de la classe 16. Sur trois mois de classes ils avaient deux mois de faits. Me voilà déjà en retard de deux mois.

Je dis à l'Alsacien :

— Je vais descendre aux pissotières dans la cour.

— Va-t'en pas. S'ils te voient, ils vont te foutre une corvée, ils te feront balayer la caserne.

Cet Alsacien-là, il m'a montré à me tirer dès tout de suite. Il m'a expliqué comment ça marchait.

A onze heures, les autres arrivent dans la carrée. Des gars que je n'avais jamais vus, comme de raison. Ils ont été gentils. Après tout, ils étaient bleus aussi.

L'Alsacien me dit :

— Cet après-midi on monte à cheval. Je vais aller avec toi seller ton cheval.

Nous voilà descendus. Tout le monde sur deux rangs je me mets derrière. On nous mène dans les écuries, le sous-off' passait devant les chevaux :

— Toi, prends celui-là, toi celui-là, allez, allez !

L'Alsacien sort le cheval qu'on m'avait désigné, l'attache à une boucle, m'emmène à la sellerie chercher le matériel et me selle le cheval. Moi, je regarde. Comme j'étais habitué à tout ça, j'ai pas eu besoin qu'on me montre deux fois.

Je prends mon cheval.

— Tout le monde sur les rangs.

L'adjudant Buisson qui nous faisait les classes :

— Ah, bon, c'est le nouveau, celui-là ?

— Oui.

— Bien. A cheval.

Il me regarde monter :

— Ça va.

Les chevaux au pas dans la cour de la caserne. Le brigadier :

— Relevez et croisez les étriers sur l'encolure.

Au trot. Il vient et il me dit :

— Tu vas pouvoir mettre tes couilles dans tes poches.

Et je pensais : " Je sais aussi bien que toi, va. "

L'adjudant nous mène hors de la caserne, sur le plateau. Il ordonne :

— Traversez ce bois !

Je traverse, et je sors en premier avec lui. Il était drôlement content. Un bon gars, cet adjudant Buisson ; pas un militaire, un boucher de je ne sais pas où.

Ensuite, il nous a fait atteler. Vous pensez si j'étais à mon affaire.

Après cinq heures, les soldats avaient quartier libre jusqu'au couvre-feu. Dès le premier soir mon Alsacien me sort en ville. Comme j'avais des sous, j'ai payé mon embauche. Forcément, quand on arrive quelque part, si on veut être un petit peu considéré, faut déjà pas être trop chien. C'est comme ça qu'on est, en société. Je l'ai compris tout de suite, j'ai eu des amis. Pour l'argent, tant pis.

Ce monde-là d'ailleurs ne m'a point montré de bons gestes. Au bureau de tabac, pendant que l'Alsacien achetait des cigarettes, d'autres volaient des cartes postales, des bibelots. Ils fourraient ça dans leurs poches. Je trouvais ça drôle. Mais quand on est avec les loups, on hurle.

L'adjudant Buisson nous organisait de petits concours : à qui garnirait son cheval le plus vite, réciterait les harnais par cœur. J'avais été élevé là-dedans, je connaissais ça mieux que les autres après deux mois de classes. Les Parisiens, par exemple, ils ne savaient pas monter à cheval, ils avaient les fesses en pomme cuite. Tous les soirs, ces malheureux se déculottaient et se faisaient couler l'eau du robinet sur le derrière pendant je ne sais pas combien de temps.

Pour sauter en croupe, on sortait les plus grands chevaux. Hop ! je sautais par là-dessus.

Comme conducteur de caisson, quand il fallait faire tourner les six chevaux dans un chemin de traverse, j'étais toujours le premier avec un autre, très bon aussi. Buisson disait :

— Grenadou et puis machin, ce sont les meilleurs conducteurs du 26e.

Jamais il ne m'aurait puni.

Malheureusement, pour la manœuvre à pied, un autre juteux nous commandait. Et moi, je savais rien, surtout avec mes deux mois de retard. Quand il criait :

— Canonniers, halte ! je m'arrêtais toujours à canonnier. Il gueulait, il m'engueulait. Pour finir, le juteux a dit :

— Va falloir faire marcher cet homme-là tout seul.

Comme de fait, un brigadier s'est amené qui m'a fait marcher tout seul dans la cour de la caserne :

— Canonnier, halte ! Halte ! Halte !

Là, je me faisais suer : les demi-tours, les quarts de tour.

Quand on présentait les armes, je me débrouillais pour être au deuxième rang. Je laissais tomber mon fusil sur mon soulier pour pas faire remarquer que ça tombait jamais comme il faut. Pour la question, j'étais zéro.

Après, ils m'ont fait de la théorie sur le canon. On était dix ou quinze autour d'une pièce d'artillerie :

— Ça s'appelle la roue, ça s'appelle l'affût ; ça s'appelle je ne sais pas quoi, moi.

Pour devenir maître pointeur, il fallait donner des chiffres. J'ai jamais pu. Le tireur fermait la culasse. Le

chargeur enfilait l'obus dans le canon. Le pren
voyeur vissait la fusée sur l'obus. Le deuxième pourvoyeur
allait simplement chercher les obus dans la caisse. Moi,
ils m'ont classé deuxième pourvoyeur. J'ai regardé sur
la Théorie et ce manuel-là disait : " Deuxième pourvoyeur :
réservé aux hommes peu intelligents. " Voilà ce que
j'étais.

Début octobre, les classes terminées, ils nous ont mis
au dressage des chevaux.

Tous les matins, on partait à sept heures, après le jus.
On montait sur la route de Paris, on arrivait dans de
grandes cours pavées entourées d'écuries où se trouvaient
des centaines de chevaux, des chevaux de la réquisition,
mais surtout des américains, des chevaux sauvages.

L'adjudant qui nous commandait s'appelait Chantard.
Il s'occupait de tout le dressage. Il nous menait dans les
écuries où se trouvaient ces chevaux sauvages :

— Sors celui-là ! Et toi, celui-là.

Quand un gars avait peur, Chantard le poussait sous
le cheval :

— Vas-y !

On amenait dans le manège des chevaux qui n'avaient
jamais été montés. Deux ou trois gars tenaient la bride,
un quatrième sautait en selle, on lâchait tout, fallait qu'il
se démerde. Ah, ces parties de saut de mouton ! Des
chevaux se dressaient en huit jours, d'autres jamais.

Les récalcitrants, on leur cachait la tête ; un sac de
sable sur la selle. On les lâchait. Ils partaient. Pan ! Ils

butaient dans les poteaux du manège, s'assommaient à
moitié. Chantard criait :

— Toi, monte dessus !

Fallait monter vite pendant que le cheval était à moitié
mort. Des chevaux se tuaient souvent.

Après on les dressait à être attelés. D'après moi, on
aurait pu mélanger les chevaux dressés à d'autres. Mais
ça n'était pas la méthode de Chantard. Il nous faisait atteler
six sauvages à un caisson. Les harnais les chatouillaient.
Au pas, ça n'allait déjà qu'à moitié. Au trot, le caisson
roulant sur les pavés faisait un bruit infernal. Les bêtes
prenaient peur. Les cavaliers aussi et ils se laissaient
tomber au lieu de tenir leur cheval. Ça s'arrêtait dans le
milieu de la cour, en tas, les quatre pattes en l'air, les
chevaux et les bonshommes. Presque tous les jours, des
gars partaient pour l'hôpital, estropiés pour le restant
de leur vie.

Heureusement, avec quelques copains courageux, on
montait toujours ensemble. Des bons à rien, on n'en
voulait pas. C'est pas un de nous qui se serait jeté à bas
de son cheval à laisser les autres se débrouiller. Fallait
tenir. Grâce à quoi on n'est jamais tombé.

Chantard, j'ai compris son système. Il gardait trois
ou quatre beaux chevaux à lui. Il allait tous les jours à Lèves
surveiller sa boucherie. Pas question qu'il parte au front.
Si le colonel nommait un gradé pour le remplacer, Chantard faisait atteler les chevaux les plus mauvais. Résultat :
tout le monde avait peur. Chantard foutait la pagaille
exprès. Une vraie tuerie. Des anciens revenus du front
qu'on mettait au dressage disaient :

— C'est pire que la guerre.

Remarquez que Chantard a fini par avoir un pépin. Il en a boité pour jusqu'à la fin de ses jours.

De temps en temps, un brigadier arrivait le soir dans la carrée :

— Il faut tant d'hommes pour aller à Saint-Nazaire chercher des chevaux.

On partait la nuit. Je n'avais jamais pris le train. Arrivé le petit jour, je ne me lassais pas de regarder par la fenêtre. Tous ces paysages que je n'imaginais pas !

Sur les quais de Saint-Nazaire, des grues descendaient les chevaux du bateau par des sous-ventrières. Des milliers de chevaux. Ils avaient eu chaud dans le fond des cales ; ils étaient menés à des baraques à moitié à la belle étoile en plein hiver. C'est incroyable comme ils crevaient.

Mais j'apprenais à me débrouiller.

Mes copains avaient commencé les classes deux mois plus tôt, ils avaient reçu tous leurs vaccins contre la typhoïde. Je m'étais bien fait vacciner un coup ou deux. Ça ne suffisait pas et toutes les semaines le tableau d'affichage disait : " Grenadou vaccin ". J'allais faire un tour à la vaccination, sans me présenter parce que j'étais seul. Personne ne me demandait rien et j'avais deux jours d'exemption de service.

Ou bien je sautais le mur avec un copain de régiment qui allait voir sa bonne amie à Luplanté. Je fréquentais une fille du Temple. Martin et moi, nous avions nos vélos à la Barrière Verte ; en trois quarts d'heure nous étions à Saint-Loup, pourtant sans lumière. Ma blonde s'appelait Désirée ; elle laissait entrouvertes les portes de la ferme. J'entrais tout doucement et nous allions nous cacher dans le fournil qui servait aussi de réfectoire aux

...sirée apportait une lampe à pétrole. Vers deux heures du matin, Martin m'appelait et on rentrait tous les deux à Chartres à la caserne. Pas vu, pas pris.

Mais les gars du dressage commençaient à s'inquiéter. On avait peur qu'on nous envoie dans les crapouillots.

Il y avait des départs presque tous les jours. D'abord on trouvait son nom sur une affiche : " Un tel en renfort à telle batterie ou à tel régiment. Un autre dans les crapouillots. " Les gars étaient habillés à neuf. Ils sortaient de la caserne musique en tête jusqu'à la gare, et ceux qui ne partaient pas les accompagnaient.

De rester au dressage, on avait peur de se trouver affiché d'un seul coup et qu'ils nous aient foutus aux crapouillots. Parce que les crapouillots, c'était des canons qui tiraient d'une tranchée dans l'autre et des artilleurs tenaient ça en ligne avec les fantassins. Les crapouillots étaient toujours repérés et les autres tapaient dedans. On avait beau ne pas être allés au front, les anciens nous disaient comment ça marchait.

En février, un ordre arrive : le 26e régiment va former une batterie d'artillerie. Une affiche demandait des volontaires. Avec des copains, on a pensé qu'il valait mieux partir dans une batterie tous ensemble que d'être envoyés en renfort dans les crapouillots ou comme remplacement on ne sait jamais où. On se fait inscrire.

Les affiches demandaient aussi des ordonnances pour les gradés de cette batterie. Pourquoi pas moi ? Comme de fait, on me nomme ordonnance d'un sous-lieutenant. J'avais dix-huit ans, il en avait vingt. Fils d'un lieutenant-colonel, le sous-lieutenant Devé arrivait de Fontainebleau.

Je me présente. Il me demande :

— Veux-tu partir à la guerre avec moi ?

— Oui, mon lieutenant.

Me voilà son ordonnance. Premièrement, je l'aide à choisir son cheval et je lui trouve un bel alezan.

Devé n'habitait pas la caserne. Il louait une chambre rue du Soleil-d'Or grâce à quoi un papier m'autorisait à sortir en ville quand je voulais.

Le matin, j'achetais en chemin deux petits pains, un pour lui et un pour moi. Je cirais ses souliers. Je préparais notre chocolat. Quinze morceaux de sucre dans sa tasse, et quinze dans la mienne. Quand il n'y en aurait plus on en rachèterait. Un bon gars, ce Devé.

Je soignais son cheval. Si Devé ne montait pas, je le sortais.

L'après-midi je retrouvais deux ou trois copains ordonnances aussi ; on jouait au billard en ville.

Avec un ami, un beau jour que nos officiers n'étaient pas là, on selle leurs chevaux et je dis :

— Allons à Saint-Loup.

Les gardes nous ouvrent les grilles de la caserne. On fait les quinze kilomètres assez vite, nos chevaux avaient chaud. Ces sacrés chevaux-là c'est peureux et le mien s'énerve à cause d'une batteuse à l'entrée du pays. Il trouve le moyen de se couper une veine de la cuisse. Ça saignait. Tant pis, on met les deux chevaux dans l'écurie de mon père.

Le monde de Saint-Loup me croyait bientôt général quand ils m'ont vu dans cet équipage. Ma mère cousait chez ma grand-mère. Elle était si contente de me voir qu'elle m'a donné dix francs. Au moment de partir, je lui prends une poule que je fourre dans une sacoche. En route, je voyais bien que mon cheval saignait toujours. " Jamais un civil ne voudra me recoudre cette blessure-là. " Je prends de la terre, je frictionne la coupure, ça bouche le trou.

Le retour s'est bien passé. Dès le soir, un bistrot de Chartres nous a fait cuire la poule et, à six ou sept, on a mangé la poule et les dix francs.

Le départ approchait. Le dernier jour arrive et l'armée nous habille de neuf.

J'ai sauté le mur et je suis allé à vélo dire au revoir à mes parents. Bien sûr, ma mère n'a pas voulu pleurer. Chez nous, c'était pas la mode. Quant à moi, j'étais jeune; ça faisait plus de mal aux parents qu'au garçon.

Ensuite j'ai fait mes adieux à Désirée. Elle m'a donné des médailles, son collier de première communion, tout un bazar pour que je me fasse pas tuer.

Nous étions dans le fournil depuis peut-être une heure, voilà la mère qui arrive par derrière la porte. Elle criait :

— Ha ! Oh ! Ah !

Elle faisait un bruit ! La fille tue la lampe. La bonne femme rentre, dans le noir elle passe à côté de moi sans me voir et je me sauve par la porte ouverte. La fille me rejoint sur le milieu de la grande route :

— Merde ! j'ai oublié mon vélo dans le fournil.

Elle s'est pas dégonflée, Désirée. Sans s'occuper de sa mère, elle a foncé chercher le vélo. On a fini la nuit sur une grosse pierre à la porte à Cagé. De loin, on entendait la mère qui faisait un boucan du diable, à réveiller tout le hameau. Elle nous cherchait dans le hangar avec sa lanterne. Quel carnage !

Je ne sais pas comment la fille s'est débrouillée le lendemain. Moi je partais à la guerre.

5

Au front

Ce matin-là, hop, tout le monde à la gare. Le sous-lieutenant Devé s'installe avec les officiers dans les wagons de voyageurs. Je fais monter son cheval dans un fourgon. Avec sa cantine, je me case dans le fourgon de l'État-Major de la batterie, puisque Devé en faisait partie.

Je ne me lassais pas encore des trains. On prend la ligne d'Orléans; ensuite : Nevers, Dijon, Belfort. Plusieurs jours de voyage, et je trouvais le paysage drôlement bien, des petits champs, des grands bois. On a fêté Pâques dans une gare, et chaque soldat a touché un œuf.

A Belfort, le régiment a débarqué et j'ai vu le lion.

Notre première étape s'appelait Petit Croix. Les officiers logeaient dans un bistrot qu'on appelait les Six Fesses, à cause des trois bonnes. Sans doute qu'ils faisaient la foire, le lendemain je trouvais des bouteilles de champagne vides. Nous, les soldats, on couchait dans la paille pour la première fois.

Ensuite, en route pour Dannemarie dans le Haut-Rhin. Je voyageais assis sur la cantine du sous-lieutenant, dans un fourgon traîné par des chevaux. Le canon commençait, pas trop fort puisque le secteur était calme. On a passé trois ou quatre jours à Montreux-Jeune avant de monter en ligne à Seppois-le-Bas, sur la frontière suisse.

C'est un pays d'alpages, vallonné avec des sapins. Le canon se rapprochait. Je pensais à Désirée. Avec mes courroies et mon harnachement, les médailles qu'elle m'avait accrochées autour du cou me faisaient mal. J'ai tout ramassé dans la poche de mon gilet.

De chaque côté de la route, on voyait des trous d'obus. Là, je commençai à observer. Le convoi traversait des bois où des canons français tiraient. Ça me faisait dresser es cheveux sur la tête. Comme on était bleu, on ne connaissait pas encore la différence entre un canon qui tire et un obus qui arrive. Les anciens disaient :

— Mais non, les gars, c'est des départs.

A Seppois, on a occupé de belles maisons. Les Allemands ne bombardaient pas les villages, et nous non plus. Si par hasard ils tiraient deux obus dans un pays, les Français en faisaient autant. Pour dire que ça s'arrangeait à moitié à l'amiable. En Alsace, les Allemands se croyaient chez eux, c'est peut-être pour ça qu'ils ne tiraient pas sur les maisons. Les civils vivaient presque en première ligne.

J'ai été désigné pour servir à table les officiers d'État-Major. J'astiquais mes souliers, j'avais une serviette sur le bras, je présentais le plat à gauche comme à l'hôtel. J'attendais avec le cuisinier. Quand les officiers voulaient que je les serve, ou s'il manquait du pain, ils foutaient un coup de sonnette. Ils mangeaient de bons morceaux. Le colonel faisait des compliments à mon lieutenant :

— Vous en ferez un maître d'hôtel tout à l'heure.

Le colonel avait un fauteuil sans pattes, qui basculait,

et je le balançais un peu après le déjeuner. Il son petit somme comme ça. " Ah ! " je me disais, " la guerre... " Je ne savais plus ce que ça voulait dire. " Il y en a qui se font tuer et puis il y en a d'autres qui se font servir. "

Parce que je voyais les lignes et les obus qui arrivaient sur les tranchées. Les officiers avaient des lunettes à corne devant les fenêtres et je regardais quand j'étais tout seul.

Je continuais à porter son chocolat à mon sous-lieutenant. J'arrangeais sa chambre. Il laissait son courrier traîner et je lisais les lettres de sa mère. Eh bien, sa mère lui écrivait : " Comment va ton Grenadou ? Qu'est-ce qu'il fait ? Es-tu content de lui ? " Devé ne m'en parlait jamais. Il m'avait sans doute dépeint à sa mère puisqu'elle avait toujours un petit mot à mon sujet.

Je me servais du rasoir du sous-lieutenant. Bien sûr, je n'avais pas beaucoup de barbe, mais lui non plus. malgré ses deux ans de plus que moi. On était des gamins

Si j'étais libre, j'allais voir les paysans, je leur causais, je m'intéressais. Dès le mois de mai, ils commençaient à faucher, une herbe courte. Je voulais les aider mais j'avais du mal parce qu'ils ont des faux avec une croche.

Ils vivent dans un seul bâtiment, la grange dessus, l'étable et la maison dessous; des bâtiments en pierre, couverts de tuiles cintrées passées l'une dans l'autre.

Là-bas, ce sont les vaches qui travaillent. Elles n'avaient pas de joug, mais un collier qui se fermait en haut, au lieu d'en bas comme le collier d'un cheval.

Un jour le sous-lieutenant me dit :

— Grenadou, fais venir les chevaux, on va à Petit Croix.

Nous voilà partis. Au bistrot des Six Fesses, il achète un litre de prune :

— Grenadou, mets ça dans ta sacoche ce soir. Trouve un coin pour dormir, on remonte demain.

Je trouve des copains, mais gourmands comme des chouettes. Ils m'ont tellement emmerdé que je leur ai passé la bouteille. De petit coup en petit coup, ils en ont bien bu le quart.

— Qu'est-ce que je vais faire ?

On réfléchit, on remet de l'eau.

De retour à Montreux, mon sous-lieutenant veut payer aux officiers un coup de prunelle après le déjeuner :

— Grenadou, va chercher la bouteille.

Aïe aïe aïe ! Ils ont senti l'eau, ils se sont moqués de mon lieutenant. L'après-midi il m'appelle :

— Dis donc, Grenadou, tu as bu la goutte et remis de l'eau.

— Non, mon lieutenant.

— Si t'avais envie de boire un coup, tu laissais la bouteille ouverte. Fallait pas mettre de l'eau.

Comme il m'avait jamais vu boire puisque je ne buvais jamais, il s'étonnait. Heureusement, un autre lieutenant lui dit :

— C'est dans ton bistrot des Six Fesses qu'ils ont truqué la prune.

Et il l'a cru. J'avais eu chaud.

Au mois de mai, mon lieutenant a été changé de régiment et moi avec.

Adieu le 26ᵉ et les copains; me voilà à une dizaine de kilomètres de Seppois, au 27ᵉ d'artillerie, un régiment de Douai, avec des gars du Nord. Des gars de l'Eure-et-Loir, je sais pas si on était seulement quatre.

Là je ne servais plus à table. J'étais plutôt libre. Heureusement, car j'étais nouveau et j'ai eu le temps de faire connaissance.

A la fin du mois, le régiment reçoit l'ordre de changer de secteur. Nous voilà à cheval pendant trois, quatre jours. On faisait des étapes d'une trentaine de kilomètres.

" Départ à quatre heures. "

Devé couchait dans une chambre :

— Grenadou, réveille-moi à trois heures et demie.

A l'heure dite, je l'appelle, il me dit " oui " et se rendort. J'ai beau l'appeler, il se lève pas. J'ose pas insister. Je plie ses affaires dans la cantine et je la porte dans le fourgon. Je selle son cheval. Le commandant, le capitaine sont là :

" Tout le monde à cheval. "

Moi, j'ai mon cheval par la bride, mais pas d'officier dessus. Je cours le chercher. Il était tellement en retard qu'il s'est fait engueuler.

Il m'a dit :

— Grenadou, faut pas m'appeler, faut me secouer.

Il était fainéant un peu, et dormeur. Il était jeune, quoi. Après, j'arrivais :

— Allez, hop ! Debout là-dedans, merde ! On est prêt à partir.

Je le secouais, je l'embêtais jusqu'à ce qu'il soit bien réveillé.

Ensuite, quand Devé était de garde la nuit :

— Grenadou, demain matin à deux heures.

J'avais ma montre. Je dormais. A deux heures moins dix je me réveillais. A n'importe quelle heure, je savais me réveiller. Devé s'en vantait :

— Mon ordonnance, vous n'avez qu'à lui dire l'heure.

Me voilà le réveille-matin de tout l'État-Major. Ça ne me plaisait pas trop.

On est remonté en ligne au Fort de Brimont, un pays accidenté, pauvre. De nos positions on voyait Reims sur notre droite, Reims qui brûlait et que les Allemands bombardaient tous les jours avec des obus incendiaires.

C'est là qu'on a commencé à coucher par terre, dans les gourbis que les autres avaient laissés avant nous et qu'on arrangeait avec des rondins.

Le secteur était calme, mais avait été mouvementé pas mal, les bois coupés, la terre ravagée. Il ne restait plus rien de civil, des pans de mur au lieu de villages, des trous d'obus. Je faisais des vases avec des douilles ; dessus j'écrivais " Souvenir du Fort de Brimont ". J'emporterai ça à la famille.

Fin juin, le régiment est relevé et s'embarque dans des trains. On ne savait pas où on allait. Les gars guettaient aux fenêtres :

— On va à Verdun ! Sûr qu'ils nous mènent à Verdun.

Tous avaient le trac d'y aller.

Mais c'est dans la Somme qu'ils nous emmènent. Le régiment monte en ligne à Suzanne.

Notre artillerie a commencé par foutre un bombardement du tonnerre pendant plusieurs jours. Sur trois ou quatre kilomètres de profondeur, la terre, il n'y en avait plus : c'était brassé.

On se trouvait mélangé aux Anglais avec leurs casques plats et leurs uniformes kakis. Nous, les artilleurs français, on se camouflait encore dans des creux, des trous, sous des filets pour ne pas être repérés par les saucisses allemandes. Mais les Anglais se mettaient en rase campagne. Ils se dépouillaient, servaient en chemise. A force d'être hardis, ils en prenaient plein la gueule. Moi, ça m'épatait.

On leur donnait des boîtes de singe contre du cochon. Ils touchaient des confitures. Ils avaient de grands couteaux d'aluminium qu'on leur échangeait contre des bagues ou des briquets qu'on avait fabriqués.

Au début, on avançait de quelques kilomètres plusieurs fois par semaine. On mangeait le terrain à coups d'obus; ça devait coûter un prix catastrophique. Mais les Allemands reculaient hors de portée. Quand les fantassins attaquaient, ils trouvaient personne.

Et puis ça s'est durci. Sans doute que les Allemands avaient amené des renforts. Ils nous bombardaient tant qu'ils pouvaient. Les fantassins avaient du mal.

C'était un pays de craie avec une poussière épouvantable. On se logeait dans les sapes aux Allemands; il y en avait de quinze mètres de creux. C'était mal placé parce que les gueules des sapes ouvraient vers les Boches et leurs obus risquaient de s'enfiler là-dedans.

J'avais recommencé à servir à table. Je vivais avec les téléphonistes, les infirmiers, le cuistot. La cuisine était dans une tranchée, les fantassins passaient là.

Ils passaient à côté de nous, l'un derrière l'autre, des

grenades plein leurs poches, écrasés de barda. Pas seulement un qui causait, ou bien : " Bon Dieu ", " Merde ", un juron comme ça. Ils traînaient un de ces cafards ! En plus, ils n'aimaient pas les artilleurs.

Quand les fantassins redescendaient, c'était la même chose, seulement ils étaient un peu plus malheureux. Avec la poussière, ils crevaient de soif :

— T'as pas à boire ? Donne-moi à boire !

Ils en pleuraient. On leur en donnait tant qu'on en avait; l'eau venait de l'arrière et on la rationnait.

Plus d'eau pour la vaisselle, parce que les officiers changeaient d'assiette entre les plats. Avec le cuistot, on crachait dans les assiettes, on y passait un coup de torchon et je redescendais leur vaisselle propre à ces messieurs.

Mon sous-lieutenant allait souvent en première ligne pour régler le tir de la batterie. Quelquefois je l'accompagnais. Je me suis trouvé dans les tranchées à l'heure de l'attaque. Les fantassins partaient tous ensemble, à la baïonnette, leur capitaine devant. J'ai vu des noirs, des joyeux, ou des paysans comme moi. Ils couraient un bout, se couchaient, couraient un autre bout. L'artillerie allemande tapait. Des Boches se rendaient, se dépouillaient de leur harnachement, couraient vers l'arrière, les bras en l'air. Les Français avançaient et eux passaient à travers. J'en ai vu un qui se dépouillait pas assez vite. A bout portant : pan ! Les canons cognaient dans tout ça. Une poussière ! Une fumée ! J'en voyais pas loin, mais ce que je voyais c'était pas beau, et je me disais : " L'artillerie, c'est quand même de la rigolade à côté de ça. "

Là, j'ai rencontré des soldats en robe, des Écossais

avec des jupes et une espèce de housse kaki imperméable par-dessus. Ils portaient des bas de laine avec des bouffettes. Ils jouaient de la musique. Quand j'ai vu ça : " Quoi que c'est que cette armée-là ? " Tous des gars pas grands, des trapus qui n'avaient pas peur.

A table parmi les officïers que je servais, il y avait le capitaine-major, un vieux, un bon père de famille. Il a pris pitié de moi parce que je couchais dans un bout de boyau où je me raccourcissais en deux pour dormir sur des pierres que j'avais tassées. Il me dit :

— Viens donc coucher dans le poste de secours.

Mon boulot fini, j'y allais, le temps de faire trois quatre plat-ventres. Je couchais sur un brancard. Le poste, c'était un trou couvert de rondins avec une table dans le milieu où le major soignait les blessés. Des fois ils étaient tant qu'ils attendaient à la porte pour s'y faire tuer. Il y en a qui arrivaient foutus, qui mouraient là. On les posait par terre autour de moi pendant que je dormais et le lendemain matin je me réveillais avec tous ces copains morts. Les brancardiers me voyaient brasser au milieu des morts :

— Merde !

Et puis ils me reconnaissaient :

— Ah, c'est toi, Grenadou. Tu m'as fait peur.

Durant toute la guerre, j'ai rêvé la nuit que j'étais à Saint-Loup. Je me rêvais en moisson, je me rêvais à charrue, je me rêvais avec du monde du pays. Dès que je dormais, je venais à Saint-Loup. Et d'un seul coup : Aïe ! Un obus me secouait. Je me réveillais, je me disais : " Bon sang c'est pas encore fini c'te Bon Dieu de guerre ? "

Une fois, je dormais dans le poste. Des artilleurs avaient

laissé à l'entrée un tas de sacs de poudre qui servaient pour des vieilles pièces de 90. Un obus tombe là-dessus. La déflagration nous jette en tas et éteint les bougies. Forcément, ça fumait. Quelqu'un dit :

— Les gaz.

J'avais pas ma boîte à masque : " Ce coup-là, je suis foutu. " J'avance à tâtons le long du mur et je trouve un masque accroché que j'enfile. Je me disais : " Si le gars vient le chercher, je suis mort. " J'ai plus quitté mon masque de toute la guerre.

L'armée continuait d'avancer. Partis de Maricourt, on a dépassé Curlu et toujours je servais à table.

Un midi, le commandant avait renversé du vin sur sa serviette. Il me dit :

— Tu vas aller me la laver.

— Il n'y a pas de flotte, mon commandant.

— Eh bien, tu vas aller au canal.

Pour descendre au canal de la Somme, j'avais peut-être cinq cents mètres. Rien qu'une côte avec des trous d'obus, que de la terre, pas un brin d'herbe et partout des macchabées, des Allemands, des Français allongés de toutes les manières, tout ça pourri, les poches retournées par les voleurs. Je voyais des obus en l'air, des obus français et allemands qui se croisaient. Ils nous bombardaient au 88. J'aimais pas ça : l'obus arrive avant que j'entende le départ, pas le temps de me coucher.

Au moins vingt plat-ventres et j'arrive quand même au canal. Des Allemands flottaient là-dedans, enflés d'eau comme des ballons. Je me mets à genoux sur un caille-botis, je trempe la serviette. Voilà qu'il s'amène des 88. Vouf ! L'eau, les joncs, la boue, tout ça partait en l'air.

" Jè vais pas me faire casser la gueule avec cette serviette. "

Autant de plat-ventres, je m'en retourne. La serviette était toute trempée, je la mets sécher dans un bout de tranchée où personne ne passait. Avec ce bombardement et la poussière, forcément le lendemain elle était plus sale. Je la plie quand même.

— Voilà, mon commandant. J'ai pas pu, parce que j'ai été marmité.

— Tu retourneras demain.

Le lendemain il a fallu que j'y retourne. Ce commandant-là, je savais pas trop quoi lui dire. Et puis j'étais jeune, sans ça je crois que je lui aurais flanqué deux, trois grenades dans son trou.

Parce que notre commandant, il avait son poste dans le fond d'un trou. Toujours, où qu'on aille, il choisissait une sape bien profonde et il restait là avec son téléphone. Pendant les bombardements, je l'entendais crier au téléphone :

— Surtout, maintenez les hommes sur les positions.

Je savais bien qu'il parlait à un officier qui était repéré et qui voulait planquer ses hommes. Je me disais : " Il est un peu dur. "

De temps en temps je le voyais monter les marches. Il passait la tête. Bing ! Boum ! Les obus tombaient, le commandant redescendait. Il avait pas la moelle de sortir de son trou.

Mais à l'autre groupe, ils avaient un vieux commandant avec des cheveux blancs et une canne. Son P.C. était à côté du nôtre : rien qu'une table sous une bâche dans un trou d'obus. Il regardait ses cartes. Avec lui il avait deux sous-lieutenants. Si les marmites tombaient trop fort, il leur disait :

— Allez vous cacher.

Ils venaient se fourrer avec nous. On pouvait bien leur causer comme on voulait, ils s'occupaient plus de leur grade ; ils râlaient :

— Il va nous faire tuer.

Quand ça pétait comme il faut, ce commandant-là venait avec sa canne :

— Cachez-vous les gars, cachez-vous bien.

Il se promenait dans le milieu de tout ça. Jamais un obus ne lui a fait baisser la tête. Un jour un 220 tombe derrière lui. On le voyait plus. Quand la fumée s'est enlevée, il s'était simplement retourné et il regardait le trou. Celui-là, tout le monde l'aurait suivi. De toute la guerre, j'ai vu que lui.

Fin août, début septembre, on est arrivé au Bois du Chat, près de Maurepas. Il pleuvait. Ça faisait une boue pas claire, une espèce de pâte grise qui collait. Tout devenait gris, les bêtes et les hommes et les canons. Près des lignes, là où la terre avait été le plus retournée, les chevaux et les mulets s'enlisaient.

On appelait ça le Bois du Chat, mais il n'en restait plus que quelques méchantes souches déracinées. Une nuit que je couchais avec des copains dans un gourbi allemand, un obus tombe à dix mètres de nous. Ça nous secoue, on rigole : " Il est pas loin, celui-là. " Quelques minutes après, l'adjudant-major nous réveille :

— Venez, les brancardiers sont ensevelis.

L'obus était tombé en plein sur le poste de secours.

Nous voilà partis dans le noir, à moitié éblouis quand même par les explosions. L'adjudant explique :

— Faut pas prendre de pioche.

On s'agenouille là-dedans, on gratte avec les mains. C'était chaud. L'adjudant allume sa lampe électrique : j'avais des boyaux plein les mains.

Ah ! Il m'a pris... jamais j'avais tremblé, mais il m'a pris un frisson... Je me promenais. Ça me secouait pas seulement les membres, mais le corps. Mes dents claquaient. Ça m'a duré une heure.

Avec les brancardiers, on avait soupé le soir ensemble, à la gamelle.

Le lendemain matin, ils étaient tellement mélangés qu'on a pris leurs plaques et seulement rajouté de la terre sur le trou.

Des sept ou huit brancardiers, jamais j'oublierai son nom, il y en avait un qui s'appelait Fouillade, couché avec eux. Il s'est levé. Le temps qu'il pisse, l'obus tombait sur le poste. La fatalité a voulu qu'il meure pas.

Tout ça m'avait secoué, je ne mangeais plus. Le cuistot voyait bien que j'étais malade :

— Mange donc, Grenadou.

Il me donnait les biscuits et les confitures des officiers.

Et puis un obus est tombé en plein sur la cuisine. Un téléphoniste buvait le café, il a été coupé en deux et le cuistot bousillé. On les a foutus sur le bord de la tranchée. Huit jours après ils y étaient encore.

C'est un copain, l'ordonnance du commandant, qui a dit au capitaine-major :

— Dites donc, Grenadou vomit tout le temps.

Je songeais pas à me faire porter malade. Je savais

pas que j'étais assez malade pour qu'on me renvoie.

Le capitaine-major est venu me voir :

— Fais ton sac. Tu vas partir ce soir avec la corvée d'eau.

La corvée d'eau c'était une tonne avec un cheval attelé. Un cavalier sur le cheval, un autre assis sur un limon. Ils me font monter à califourchon sur la tonne. Ils partent tranquillement à la brunette. Dans un coin, des territoriaux qui rebouchaient les trous de la route nous crient :

— Dépêchez-vous, ça va bombarder.

Les gars mettent le cheval au galop. Moi, sur le haut de la tonne, je criais :

— Pas si vite, Bon Dieu !

On a fait cinq kilomètres comme ça, au galop tant que ça pouvait.

Le lendemain, on m'a évacué sur une grande infirmerie. Les blessés arrivaient par camions. De mon lit, je voyais dans les salles d'opération des médecins en blanc couverts de sang comme des bouchers.

Un médecin passe, j'avais plus que la peau sur les os :

— Bronchite aiguë. Courbatures fébriles. Évacué dans la zone des armées.

Ils nous mettent des fiches comme à des animaux, des rouges, des bleues, pendues au veston. On monte dans des wagons à bestiaux. On a roulé plus d'un jour. Dans les gares, des infirmières nous donnaient du bouillon et du café. Malade que j'étais, je me dis : " Ils t'emmènent dans un hôpital, peut-être qu'il y aura des sœurs. " Qu'est-ce que je fais ? Je cherche dans les poches de mon gilet les médailles de Désirée et je me les raccroche au cou.

Des blessés descendaient tout le long de la route. A Bolbec, dans la Seine-Inférieure, c'est notre tour :

— Préparez-vous.

Des autos nous attendaient, celle du médecin, du notaire, du châtelain. Ces gens-là avaient fait un hôpital de civils pour les soldats, dans la salle des fêtes. Quand je suis rentré et que j'ai vu tous ces lits blancs, ça m'a frappé. Ils nous ont passé aux douches. Je disais :

— Occupez-vous des autres, je suis guère malade.

Mon lit avait le numéro treize. J'ai dormi un mois sans m'arrêter. J'ai eu dix-neuf ans. On me donnait à manger et je me rendormais jusqu'au repas d'après. On était vingt-cinq soldats. Les jeunes filles du pays, la femme du notaire, toutes les dames de la ville s'occupaient de nous. Des dévotes. Elles me posaient des cataplasmes et quand elles ont vu toutes les médailles de Désirée, j'ai été soigné mieux qu'à la maison. Les médecins étaient des civils ; soi-disant qu'ils m'ont soigné avec des remèdes très chers.

J'allais mieux. Les dames et les messieurs du pays qui étaient bourgeois venaient se promener l'après-midi à l'hôpital. Ils s'asseyaient de chaque côté de mon lit et me demandaient ce que j'avais vu à la guerre. La nuit, une dame veillait. Je toussais, j'ouvrais les yeux, la garde était déjà à côté de moi avec du sirop et de la tisane. Plus tard, je toussais exprès pour avoir mon infusion.

J'avais surtout peur qu'on me renvoie au front. Quand on est à la guerre, ça marche ; mais quand on n'y est plus, on ne rêve qu'à une chose, c'est de ne pas y retourner. Un de mes copains d'hôpital était devenu tuberculeux et moi

,⎯ comptais l'être aussi, mais ça n'a pas voulu. J'aurais tant aimé devenir tuberculeux à ce moment-là. Le médecin regardait nos crachats et je me faisais saigner les gencives pour qu'il trouve du sang.

En principe, ils n'auraient pas dû garder les soldats plus d'un mois dans cet hôpital. Total, j'y suis resté trois mois : septembre, octobre et novembre. Mon nom n'était plus sur la liste. Est-ce qu'ils me gardaient un peu en cachette ? L'armée contrôlait, mais à peine.

Mes parents n'ont jamais pris le train pour venir me voir. Bolbec, c'est pourtant pas si loin de Chartres... Ils n'avaient pas l'habitude.

Début décembre, j'ai passé la visite dans un grand hôpital du Havre et l'armée m'a donné un mois de convalescence, le maximum.

J'ai pris le train pour Paris que je n'avais jamais vu. J'arrive à la gare Saint-Lazare, je regarde les cartes du Métropolitain et je m'amène à Montparnasse sans rien demander à personne. A onze heures du soir j'arrivais à Chartres.

Je m'en suis venu à pied jusqu'à Saint-Loup, trois heures de route. C'était le 7 décembre. Mes parents ne m'attendaient pas ; ils se sont réveillés :

— Ah, c'est toi, 'Phraïm ! Comment que ça marche ?

J'étais heureux, puisque c'était toujours de revenir à Saint-Loup qui m'intéressait.

A cause de ma convalescence et de la saison, le bonhomme ne m'a pas fait trop travailler. J'allais un peu à charrue. Il me laissait à moitié tranquille.

Pendant que j'étais au front, Désirée avait trouvé un autre copain. C'est là que j'ai commencé à fréquenter

Alice Moulard, l'amie de Maria Jeandron qu'on raccompagnait autrefois chez elle en revenant du bal. Je faisais un détour pour bavarder avec elle quand je revenais de charrue. Elle m'attendait.

L'armée m'a fait passer une visite à Chartres. Je voulais une prolongation de convalescence et j'ai avalé pas mal de boulettes de papier de chocolat comme les gars m'avaient montré. Un major m'ausculte :

— Deux mois de prolongation.

Je me dis : " Ça marche. " Mais voilà un lieutenant-colonel qui passe :

— Déshabillez-vous, tout le monde.

Faut recommencer la visite. Il supprime toutes les prolongations, la mienne aussi : " Bon pour le dépôt. " Le commandant qui m'avait proposé intervient :

— Pardon, mon colonel, si vous renvoyez celui-là, c'est pas au dépôt mais au front qu'il retourne.

— Tant pis. Bon pour le front. Quand même il serait chez lui, il irait pas mieux.

Le 7 janvier 1917, je suis reparti. A la gare, j'ai rencontré Albert Barbet qui venait en permission. On a bu un coup ensemble. Le dernier, puisqu'il a été tué.

6

Du Chemin des Dames à l'Armistice

Bien sûr je ne savais plus où était mon régiment. Dans les gares, des préposés nous donnaient des directions. J'ai été rééquipé, ils m'ont rendu un revolver, un masque à gaz, tout le matériel de guerre.

Le 27e avait quitté la Somme et je l'ai retrouvé dans le Haut-Rhin, en ligne dans un secteur calme.

Au bureau du régiment, ils me disent :

— Le lieutenant Devé a été tué. Vous serez conducteur à la quatrième pièce de la première batterie du premier groupe.

J'arrive dans cette batterie. Me voilà conducteur de devant du canon. On me donne mon harnachement et mes chevaux : une jument qui s'appelait Indianite, pas trop grande, un peu ronde, et un sous-verge, Fil-de-Fer, un grand cheval maigre. Forcément, c'était de mauvais chevaux, parce que les anciens choisissaient les meilleurs.

Comme j'étais nouveau, j'ai fait les corvées qui ne plaisaient pas trop aux autres ; c'est normal. Pour commencer, j'étais tout seul. On est devenu camarades assez vite. On s'est habitué ensemble.

Quand je suis arrivé là :

— Comment tu t'appelles ?

— Grenadou.

— Guidou ? Gradou ? Garradou ?

A force d'oublier mon nom, ils ont fini par m'appeler Pégoud, comme l'aviateur, l'as qui justement avait été tué dans le Haut-Rhin.

Affecté à la même pièce que moi comme conducteur de derrière, il y avait un Auvergnat de Clermont-Ferrand, un gars de ma classe engagé comme moi : Michel Meunier. De son métier, il travaillait dans une banque. C'était un blond, les cheveux, les moustaches, les sourcils blonds ; trapu, avec une figure pas mal.

Il avait une sœur et me parlait d'elle. Au ravitaillement, on touchait une boule de pain pour deux, un litre de vin pour deux. Je portais le pain, Meunier prenait le pinard ; quand on mangeait, on se passait la boule et le bidon. Il y en avait qui coupaient le pain en deux, mais pas nous ; on mangeait notre boule ensemble petit à petit. Le conducteur du milieu de notre pièce sympathisait guère ; lui, il aimait garder son pain tout seul.

Avec Meunier, on partageait même les toiles de tente et les couvertures. On se creusait le·même trou pour dormir. On a fini la guerre ensemble sans jamais avoir un mot. Il buvait pas ; c'était pas mon genre non plus. On s'entendait comme des frères.

Huit jours après mon arrivée, le régiment a fait la relève. Le froid commençait à nous saisir : vingt en dessous de zéro. Pour que les chevaux marchent sur la neige tassée et la glace, il fallait leur visser des crampons aux fers. Puis la température est tombée à vingt-sept. On franchissait des cols. Les moustaches des anciens se couvraient de glaçons qui leur pendaient jusque sous la bouche. On avait de la glace dans le cache-nez. Ça nous tortillait le nez. Les souliers nous gelaient sur les pieds. Des convois restaient en panne qu'il fallait chercher avec nos chevaux au milieu de la nuit et rien de chaud dans le ventre.

Une nuit, on a bivouaqué dans un village. On s'est couché dans la cour d'une ferme, tous les uns avec les autres, nos couvertures et les toiles de tente jetées par là-dessus. Dans la nuit il est tombé de la neige. Le matin, quand les bonnes gens de la ferme ont vu la neige remuer, ils disaient :

— Mais, qu'est-ce que c'est que ça ?

Notre régiment servait d'artillerie à la 46e division de Chasseurs alpins. La division est montée au camp du Valdahon. On a refait des classes. Ils nous apprenaient la guerre en rase campagne pour qu'on devienne une armée de poursuite. Toute l'artillerie au grand galop. On descendait de cheval et on tirait des coups de revolver. La cavalerie manœuvrait avec nous. Les Chasseurs alpins ont touché des clous neufs de rechange pour leurs souliers; soi-disant que l'armée comptait aller loin à la prochaine offensive.

Notre général s'appelait Grattier. Au plus froid, il faisait déchausser les gars pour voir s'ils avaient les pieds propres et disait que les pieds sales gèlent plus facilement. Il aimait aussi qu'on ait tous la tête rasée presque à zéro.

Ça a duré deux mois. Heureusement qu'on logeait dans des baraques. Les chevaux crevaient de faim et mangeaient leur crottin. C'est là que Fil-de-Fer est mort. On me l'a remplacé par un alezan nommé Siméon.

Le printemps arrive avec la pluie.

Le régiment débarque autour de Fismes. On part à cinq heures du soir le 15 avril et toute la nuit, on marche. Ils nous disent :

— Vous êtes l'armée de poursuite. Vous arriverez quand l'attaque aura crevé le front allemand. Et alors, en rase campagne ! Vous coucherez à Laon.

Il pleuvait, il tombait de la neige pourrie; on a fait quarante ou cinquante kilomètres dans la boue et dans le noir; avec l'habitude on voyait clair. On était des mille à avancer sur de méchantes pistes de rondins. Tout ça se croisait, s'embrouillait. Je suivais le gars qui allait devant. Je voyais les fusées, j'entendais l'artillerie, je me demandais comment allait l'attaque.

Le matin arrive. Je le vois encore ce matin-là, avec un peu de soleil quand le jour s'est levé. La guerre, je la reconnaissais plus : la cavalerie avait des sabres, les lanciers portaient des lances. Il y avait du monde !

On traverse un canal ou une rivière sur des ponts. On s'approchait des premières lignes mais les fantassins qui attaquaient n'avançaient pas. La cavalerie, l'artillerie, toute cette armée de poursuite se tassait là sans pouvoir avancer non plus. Les Allemands se sont mis à nous cracher sur la gueule, à tous les coups ils faisaient mouche.

La belle poursuite ! On a passé toute la journée allongés dans les fossés. Notre batterie se trouvait dans un bois que traversait une allée qui faisait peut-être dix mètres de large. C'est par là que les blessés descendaient du

Chemin des Dames; ils s'entretouchaient; ils étaient entortillés de la tête, du corps, des bras; à croire qu'ils portaient leur tête dans leur musette. Les obus tapaient là-dessus. Des artilleurs qui transportaient des fusées de munitions passent à côté de nous; vingt-cinq mètres plus loin, une marmite tombe en plein dessus; tout ce qui était autour bousillé. C'est là que mon cheval Siméon a été tué.

Quand la nuit est venue, l'armée de poursuite a battu en retraite. Comme l'artillerie allemande avait coupé les ponts derrière nous, il a fallu que le génie construise des passerelles de bateaux.

La veille, tous les gradés de la batterie étaient montés, et il y avait six chevaux par canon; ce soir-là, en sortant du bois, il n'y avait plus que quatre chevaux par canon, et tous les gradés, sauf le capitaine, allaient à pied. Pour remplacer Siméon, ils m'ont donné un cheval de sous-off' qui valait pas grand-chose. On a marché toute la nuit. On croisait des régiments. On était toujours des mille, mais cette fois-ci on s'en allait. Dans la boue, mes chevaux n'arrivaient pas à tirer la pièce, surtout à quatre, et mon cheval de sous-off' qui foutait rien... Malheur de malheur, Meunier n'était pas avec moi et mon conducteur de derrière était une vessie. Je me fâche, je pousse à droite et je fous le canon dans une ornière. Forcément, je coupe la colonne. Le capitaine arrive au galop :

— Eh bien, Grenadou ?

— Écoutez, voilà ! J'en ai marre ! Je suis pas équipé, et puis l'autre bon à rien...

— Voyons, voyons, faut sortir de là.

On en sort.

Quand on a eu marché la moitié de la nuit, la batterie

se trouve au milieu des champs, avec une boue ! Les
étriers touchaient. Les officiers crient :

— Pied à terre.

On descend de cheval et on s'enfonce dans la boue
jusqu'aux cuisses.

— Bivouac !

On attend. Une demi-heure après :

— Dételez !

La pluie tombait ! On a monté les tentes. Il y avait
quand même deux, trois sapins dans ce paysage; avec
quelques branches qu'on étale sur la glaise on se débrouille
à se coucher.

Une heure après :

— Attelez !

D'abord il a fallu trouver les harnais dans la glaise.
Presque impossible de seller les chevaux; pour se parer
du froid, ils se rapprochaient les quatre jambes ensemble
et ça leur gonflait le ventre. Enfin on repart.

On a encore battu en retraite jusqu'à peut-être midi.
Quand on est arrivé dans un pays où il y avait des civils,
on s'est couché dans un grenier. En se réveillant deux
heures après, la moitié des gars avait les pieds gelés. Ils en
faisaient des grimaces... Les pieds gelés en plein mois d'avril !

Voilà la fin de cette offensive. Il paraît que cette jour-
née-là a coûté cent dix mille hommes hors de combat,
sans parler des chevaux. Enfin, quand on n'a même pas
le temps de s'occuper des bonshommes qui sont foutus,
vous pensez bien que les chevaux...

Le régiment part au repos, pas longtemps. Au mois de mai, la 46e division remonte en Champagne, toujours avec nos Chasseurs alpins en première ligne.

Le secteur était couvert de cadavres. Soi-disant qu'avec les premières chaleurs, c'était intenable tellement ça sentait mauvais. Les Chasseurs montaient pour huit jours; pas de relève, on les laissait quinze. Qu'est-ce qu'ils ont fait? Ils sont redescendus sans attendre la relève. Ils s'en venaient par groupes de quatre ou cinq, sans doute les plus hardis les premiers. Ils passaient au milieu de nous :

— On en a marre.

— C'est pas tenable là-dedans.

— Huit jours qu'on attend la relève, alors on fait la relève tout seuls.

Comme ça, ils s'en venaient et puis ils continuaient vers l'arrière.

Notre commandant reçoit un coup de téléphone des officiers d'infanterie; eux, ils pensaient qu'à maintenir leurs soldats en ligne :

— Raccourcissez le tir.

— Pourquoi? demande le commandant.

— Nos hommes quittent les lignes, faut les empêcher.

— Tirer sur des Français? Si vos fantassins quittent les tranchées, mes artilleurs vont faire leur sac et s'en aller avec eux.

Mais tous les commandants n'étaient pas comme le nôtre. Il y en a qui ont ordonné : " Raccourcissez le tir. " Les gars aux pièces, ils ont obéi sans savoir où ça tombait. N'empêche que ça tuait des fantassins et que les fantassins qui sont arrivés jusqu'aux batteries, ils ont foutu des coups de baïonnette aux artilleurs qui n'y comprenaient rien. Voilà le travail !

Du coup, toute la division a été relevée. On est parti en cantonnement dans une grande forêt de chênes près de Villers-Cotterêts.

On était là depuis quelques jours, un matin on se réveille : les Chasseurs avaient braqué leurs mitrailleuses sur les baraques des officiers.

Le général arrive, à cheval, un petit bonhomme :

— Qu'est-ce que vous voulez ?

— Des permissions.

— C'est bon, tout le monde aura des permissions.

C'était fini. Les gars ont rembarqué leurs mitrailleuses. Pour dire qu'ils étaient pas exigeants, qu'ils demandaient pas grand-chose. Tous, on a eu donc des permissions à tour de rôle.

Mon tour vient. Quand j'arrive à la gare de l'Est, je vois les autres permissionnaires qui ramassent des pierres sur les voies, qui foutent ça dans les vitres, ou sur la gueule aux gendarmes et aux officiers.

Comme toujours, je descends de Chartres à Saint-Loup à pied dans la nuit et je trouve la famille couchée. Le matin à six heures, le père vient me voir avant de partir pour les champs.

— Tu as bien dormi ?

— Oui.

— Eh bien, fais encore un petit somme, déjeune, et tu viendras me retrouver au Champ Blanc.

Vers huit heures, je retrouve le bonhomme là-bas. Il me passe la charrue. J'empoigne ça : " Allez, hue ! " Ça y est, je laboure. Et comme ça toute la permission.

Croyez bien, j'aimais mieux être là qu'à la guerre.

Le soir, j'allais voir Alice. Elle m'avait écrit; elle m'écrivait même de plus en plus. Cette année-là, elle devait avoir dix-huit ans, châtain clair avec des yeux gris un peu bleus. C'est comme ça que ça commence.

Son père était soldat malgré ses quarante-cinq ans, pas au front bien sûr, mais soldat quand même. Avec un vieux charretier, la mère cultivait vingt-cinq hectares; ils avaient du mal. Alice avait un petit frère âgé de trois ans, Marius; il grimpait sur mes genoux.

En permission je recevais de temps en temps des lettres de mes copains : " Amuse-toi pendant que tu peux. Ici ça va mal. " J'aimais pas ce courrier-là; j'avais peur que mes parents le voient. Quand je leur écrivais, jamais je ne leur disais que ça allait mal.

Ma mère me racontait que mon père, quand il n'avait pas reçu de lettre de moi depuis trois, quatre jours, il attendait le facteur pour partir dans les champs.

Le dernier jour, je préparais mon sac après midi. Je gagnais la Bourdinière à pied, et en arrivant au coin du Bois Général, je regardais le clocher de Saint-Loup un dernier coup et je lui disais :

— Voilà, je pars, mais je sais point si je te reverrai.

Un ancien facteur qui allait tous les jours à Chartres chercher le courrier m'emmenait dans sa voiture. On arrivait vers six, sept heures. Il avait une chambre à l'Écu et me prêtait la moitié de son lit jusqu'à deux heures du matin.

Le train des permissionnaires passait vers trois heures. Ça venait de Bretagne. Ça ramassait des gars un peu partout. Tu aurais vu cette gare : des gars couchés en long, des femmes qui pleuraient, des hommes aussi, d'autres qui étaient saouls. Quand on entrait là, c'était plutôt des bêtes.

Le train arrivait, repartait. Ça gueulait de tous les côtés. Des gars se battaient dans les compartiments; ils chantaient, ils buvaient, ils fumaient, d'autres vomissaient. Heureusement que là-dedans la moitié des carreaux était cassé. Je sortais dans le couloir et si la nuit était claire, je regardais les clochers de Chartres : " Je vous reverrai peut-être. " Deux, trois jours dans le train pour retrouver le régiment.

Au mois d'août 17, j'ai retrouvé les copains au Chemin des Dames, en position pas loin de ce bois de Beaumarais où les Allemands nous avaient cassé la gueule le 16 avril.

A l'échelon, ils décident de m'envoyer aux pièces. Ça me disait rien. Comme de juste, ils me mettent deuxième pourvoyeur, le seul truc que je connaissais.

On se mettait de la ouate dans les oreilles; ça les empêchait pas de saigner. Va savoir avec un bruit pareil si les obus partent ou s'ils te viennent dessus. Plusieurs fois par jour, c'était des tirs de barrage et on cognait les Boches; le reste du temps, au tour des Boches de nous cogner. Une pièce de notre batterie a explosé, les gars pulvérisés. Je me plaisais pas trop dans cette invention-là.

A la deuxième pièce, ils avaient un servant qui tirait toujours au cul; jamais il voulait se lever. Une nuit qu'il était resté couché au lieu d'aller à son poste pour un tir de barrage, le lieutenant lui a flanqué un coup de revolver. Voilà comment le gars a été opéré; quant au lieutenant, il a changé de batterie et il est passé capitaine.

Notre maître-pointeur, à force, il était devenu sourd. Le pauvre gars n'entendait plus les obus venir et toujours il nous guettait pour savoir quand se jeter à plat ventre. Avec Meunier, on en rigolait. En cassant la croûte, on faisait mine de se jeter et voilà le maître-pointeur dans le fossé avec sa gamelle. Toute la journée on faisait faire des plats-ventres à ce gars-là et un beau jour l'armée a fini par l'évacuer.

Partout des rats. La nuit je me réveillais, j'avais un rat qui me dansait sur le corps. Ils nous couraient sur la figure. Ils brassaient : ils faisaient plus de bruit que le monde. On fabriquait des ratières pour les attraper vivants et on leur brûlait la peau sur une bougie. On les relâchait; ils se sauvaient en se plaignant et leurs cris faisaient peur aux autres. Ça ne servait pas à grand-chose, il y en avait tellement !

Le capitaine de notre batterie, c'était un malin. Jamais il ne disait rien à un simple soldat, mais il faisait défiler les officiers. Si un gars était en défaut, il lui demandait pas son nom, il lui demandait le nom de son gradé et il s'en prenait aux lieutenants et aux chefs de pièce. Ce capitaine-là avait fait les colonies; il était dur, trapu, avec un genre de peau basanée, un homme de quarante ans. Il se promenait avec sa canne, il surveillait tout. Plusieurs fois je l'ai vu, comme il mangeait avec les lieutenants sur un derrière de fourgon, une colère le prenait, il renversait la gamelle.

Notre adjudant était toujours le premier à partir à

l'arrière, le dernier pour revenir en ligne. Un gars emmer-
dant. Avec Meunier, on ramassait des éclats d'obus plein
nos poches; la nuit, quand un obus claquait : pan ! On
envoyait ça sur la gueule de l'adjudant. Le lendemain
matin, l'adjudant montrait les éclats :

— Regardez donc comme c'est passé près.

Tous les mois, mon père m'envoyait un mandat de
dix francs. J'étais déjà riche. Tous les quinze jours, ma
mère m'envoyait un colis avec du cochon, peut-être un
poulet cuit, du beurre salé, et toujours ce fromage bleu
de Saint-Loup séché dans des feuilles de châtaignier.
Mes copains l'appelaient mon " pue-nez ". Au casse-
croûte, ils me criaient :

— Pégoud, as-tu encore du pue-nez ?

Parce qu'avec du vin, ce fromage-là faisait point mal,
et ils en étaient quasiment plus friands que moi. Tout le
colis sentait le pue-nez : le poulet, le beurre. Je partageais
ça avec des copains qui donnaient aussi leurs colis, ou
bien avec ceux qui n'en recevaient pas du tout.

Quand on allait à l'arrière, beaucoup de gars achetaient
du pinard et se saoulottaient. Quand ils avaient un verre
dans le nez, ils se faisaient remarquer : ils sifflaient dans
le dos des officiers, ils causaient trop haut. Les officiers
disaient rien sur le moment, mais pour les coups durs,
quand tout le monde était aligné, ils se souvenaient bien
des noms des plus gueulards :

— Trois gars pour ravitailler les crapouillots en première ligne... un tel, un tel, un tel.

J'aimais pas trop les premières lignes : plus c'est près,
plus c'est mauvais.

Il y avait aussi ceux qui voulaient gagner la croix de

guerre et qui gagnaient la croix de bois. Pour
gadier, pour une médaille, ils se faisaient tuer. Moi,
tu sais, leurs croix de guerre, ils pouvaient bien se les
foutre quelque part. Ce qui m'intéressait, c'était de
rentrer à Saint-Loup. Je suis parti avec la conviction d'aller
à la guerre et d'en revenir. Je me disais : " Faut que tu
sauves ta peau. " Je me surveillais, j'essayais de pas mettre
mon nez où il fallait pas.

Bien sûr, c'était pas toujours possible. Il y avait les
heures de garde à l'observatoire. Dans le bois de Beaumarais, il restait peut-être quatre arbres, dont un chêne
de vingt mètres de haut. Pour y arriver la nuit, je suivais
un fil de fer, plus d'un kilomètre à tenir ce fil par-dessus
les tranchées et à travers les trous d'obus pour gagner
le poste de garde.

L'officier donnait la consigne :

— Aujourd'hui, si tu vois deux fusées vertes, c'est pour
un tir de barrage.

Par une échelle, je montais quatorze mètres et je m'asseyais là-haut sur une selle de vélo fixée à une branche.
A bicyclette, on pédale et on se réchauffe ; mais deux
heures là-dessus les jambes pendantes, le sang vous tombait dans les pieds.

De là-haut, je voyais nos canons : que des tubes en
dessous de moi, des petits, des longs, des gros, tous le
nez en l'air.

Hop, voilà mes fusées ! Je me penche sur ma branche
et je crie aux autres en bas :

— Tir de barrage !

En quelques secondes, tout ça se mettait... oh, là, là !
Tout ça tirait, et les Allemands nous en foutaient autant.

Nos obus me sifflaient tout autour et les marmites boches tombaient à gauche, devant, derrière. J'attrapais ma branche à brassée. Le souffle, le bruit, l'arbre qui naviguait dans tous les sens, à force je sentais plus rien. Je savais plus de quel côté j'allais faire étincelle.

Août, septembre, octobre, trois mois que le régiment a passés dans ce secteur. Heureusement, on redescendait de temps en temps à l'échelon, au bois de Marival. Je retrouvais mes chevaux, Indianite et Ramponneau, un grand cheval noir qui remplaçait Siméon. Ces pauvres bêtes, j'essayais de les mener aux champs quand je pouvais, qu'elles broutent un peu d'herbe.

Avec les copains de Saint-Loup, on s'entr'écrivait. Voilà que j'apprends que Fernand Charreau est cantonné à cinq cents mètres de moi. C'est lui qui m'a dit que son frère Charles et Lacroix étaient au repos au Ventelay, à huit kilomètres. Deux ou trois fois j'ai pris Indianite et un bidon de pinard et je suis allé à travers champs voir les gars du pays.

Fin octobre, toute la 46e division est relevée et descend à pied jusqu'à Épernay. Là, on embarque. Où est-ce qu'on va ? Dijon, Mâcon. Passé Lyon, on retire nos tricots, on se serait cru au mois de mai. On descend, trois jours, quatre jours... Avec Meunier et les conducteurs, on voyageait couchés dans la paille au milieu de nos chevaux, tandis que les autres restaient jour et nuit sur des banquettes.

Enfin, la division vient débarquer à Nice. Là, un soleil

épatant. Ils nous logent dans une caserne. On circulait en ville. Des civils, des jeunes, du monde de tous les pays, à croire que c'était pas la guerre. Ils mangeaient dans des restaurants tout en verre et ils nous jetaient des pommes d'orange par la fenêtre. On mangeait ça.

Revue générale, les bêtes, les harnachements, le matériel. On nous fait blanchir les traits des chevaux au blanc d'Espagne, à croire qu'on allait passer sous l'Arc de Triomphe.

Le 10 novembre, nous voilà partis en Italie. Toute la division à pied de Nice à Vintimille pour franchir la frontière. Un monde le long de la route ! Les Italiens mettaient des fleurs sur les chevaux, des feuilles de palmiers sur les canons. Ils apportaient des fiasques, des citrons, des cartes postales : à qui nous ferait boire, manger, ou nous donnerait un petit cadeau.

On rembarque dans des trains : Turin, Milan. On débarque à Vérone et on repart à pied. On se croisait avec des Italiens. Ils avaient plus de fusils. Ils se sauvaient et nous on montait se battre sur la Piave au nord de Venise.

Enfin, se battre... La guerre, avec ces gens-là, c'était rien du tout. On s'est mis en batterie au pied des montagnes, et les Autrichiens en haut. Forcément, je croyais qu'ils allaient nous avoir. Eh bien, quand on s'est mis à les bombarder, ils sont descendus comme des lapins de garenne. Ils se rendaient tous, ils étaient mal habillés et ils crevaient de faim. Je te garantis qu'on aimait mieux les Autrichiens que les Boches.

Après un ou deux jours, on savait plus où étaient les Autrichiens. Un sous-off' me commande de partir avec le capitaine. Pour monter sur le haut de ces montagnes, on en a fait des croches ! Enfin, tard dans la matinée, nous voilà sur ces sommets. Je me dis : " Mon vieux, il va partir des mitrailleuses là-dedans, on eſt fait. " Le capitaine allait et venait ; il cherchait les Autrichiens avec ses jumelles. On s'eſt promené là-haut, on a pas vu une âme.

Plus tard, on a monté nos pièces dans le haut des montagnes. Un drôle de boulot ! Les uns poussaient le canon, les autres le retenaient en entortillant des cordes autour des pieds de sapins. On était mélangé avec des Italiens. Nous, on criait :

— Attention... ferme !

Et les copains bloquaient les cordes. Mais eux c'était :

— Attenti... força !

On menait le ravitaillement avec des espèces de luges que les chevaux traînaient sur les pierres. Pour les munitions, je montais Indianite et je mettais six obus dans les sacoches de mon sous-verge, le grand Ramponneau. Deux chevaux et un bonhomme pour porter juſte six obus ! Heureusement qu'on en tirait pas autant qu'en France.

A l'arrière, l'échelon du régiment logeait chez le monde. Un monde malheureux, ils mangeaient de la polenta, et c'eſt tout. Dans des villages pas plus grands que Saint-Loup ils avaient deux ou trois curés. Les messes sonnaient toute la journée : Ding Dong Badadi, Ding Dong Badada.

Leurs curés n'étaient pas mobilisés et les soldats français ne leur plaisaient guère. On le savait parce qu'un copain de notre batterie comprenait l'italien. A la messe, le curé allait et venait en discourant et le copain nous expliquait qu'il demandait aux bonnes femmes d'enfermer leurs filles parce que les Français avaient des maladies et des maîtresses. Mais les filles ont bien fini par sortir.

Quand j'étais à l'échelon, je logeais avec un nommé Grimonpon, un gars du Nord, dans une maison où deux des filles étaient jumelles. De belles filles avec des cheveux clairs et de jolis noms... quelque chose comme Colomba.

D'abord les parents se sont méfiés de nous, à cause des curés. Comme toute la famille priait le soir dans l'étable, Grimonpon et moi, on s'est pas dégonflé : à genoux tous les deux. Ça a mis les vieux en confiance. Petit à petit on s'est mis à chérir les filles. Elles s'entre-ressemblaient tellement, habillées pareil, des boutons pareils, des sabots pareils, qu'on n'était pas foutu de savoir laquelle était notre copine. Il fallait que ce soit elles qui se détachent pour venir nous voir, sans ça, on se serait trompé.

Qu'est-ce qu'on vivait bien chez ces gens-là ! Ils nous faisaient cuire une oie pour trois francs. Du vin tant qu'on en voulait. Tous les matins le soleil se levait avec un ciel d'un bleu... Le printemps toute la journée. A Noël, on s'est baigné dans une rivière. C'est en Italie que j'ai vu les plus belles femmes. Elles nous aimaient. On leur causait italien. Tout ça c'est fini. Un coup qu'on est en allé, c'est bien fini.

On était vexé quand ils nous ont rappelés en France au mois de mai 18. On rembarque à Padoue : Milan, Modane, Lyon. Huit jours et huit nuits, nos chevaux malades, usés par les coups de wagon. Quand on les a sortis du train, ils marchaient comme des bonshommes saouls.

Partis d'Italie, on s'est retrouvé en Belgique, au Mont Kemmel. C'était pas le filon !

Dans ce pays-là, le terrain est humide. Quand on a creusé vingt-cinq centimètres, l'eau vient. Plus de tranchées ; on entassait des sacs de terre ; à perte de vue des murs de sacs de terre.

Les batteries se sont mises en position au pied du Mont Kemmel, dans des houblonnières. On s'est battu dans ce pays peut-être un mois. Chaque fois que les Allemands avaient pris le Mont Kemmel, les fantassins attaquaient et le reprenaient.

C'est là que les copains de la troisième pièce ont tous été tués. Ils étaient repérés. Le capitaine leur donne l'ordre :

— Allez vous cacher !

Mais le maréchal des logis de la troisième pièce était un curé. Chaque fois qu'on changeait de position, il avait l'habitude de bénir la pièce. Il avait converti ses gars ; ils croyaient à tout ça et ils avaient confiance :

Le curé dit au capitaine :

— Mon capitaine, j'abandonne pas la pièce.

— Dans ce cas-là, renvoyez vos hommes.

Les hommes disent au curé :

— Puisque vous restez, on reste.

Cinq minutes après ils ont tous été tués d'un coup par un obus de 220.

L'échelon de la batterie était dans une briqueterie de Poperinge. Là, Indianite est morte d'entérite. Pour la remplacer, j'ai choisi une petite jument alezane que j'ai appelée Ponette. J'étais déjà assez ancien dans le régiment pour pouvoir mieux choisir et je l'ai prise petite parce que

ça a besoin de moins de nourriture. Ceux qu...
saient pas les chevaux préféraient les grands.

Malgré le mois de juin, je regrettais drôlement l'Italie.
Quand ils ont demandé des volontaires pour partir en
Orient, je me suis fait inscrire pour la Syrie. J'en avais
marre de la France.

Un jour qu'avec Meunier j'allais au ravitaillement à la
brunette, à même pas deux kilomètres des lignes, on
entend un piano mécanique. On s'arrête. Dans une maison à moitié démolie, ça dansait : des civils, des cotillons !

Le lendemain, comme on n'était pas de corvée, on va
voir ça. Il y avait des hommes, des espèces de souteneurs,
et cinq ou six filles dans les vingt ans. Ces gens-là, ils
s'installaient n'importe où dans les ruines, ils vendaient
du café dix sous aux soldats, ils vendaient même de la
goutte et de la bière. Ils gagnaient de l'argent gros comme
eux.

On rentre là-dedans. Il y avait peut-être cinquante soldats. On paie deux, trois sous pour faire danser une fille.
Plus rien à boire. Avec les autres soldats on sort et on
va dans un autre bistrot, peut-être à quatre-vingts mètres,
chercher du café. Pendant ce temps-là, patatraque ! Un
obus tombe devant le pays, un autre derrière, le troisième
en plein sur le bastringue qu'on vient de quitter, et tue
les bonnes femmes. Je vois encore ces pauvres filles,
elles mordaient la poussière, elles étaient toutes déchirées.

Le 28 juin, le régiment a quitté la Belgique. On est
parti à pied pour la Champagne. On faisait une trentaine

de kilomètres par jour. On couchait sous la tente. On cantonnait près d'une rivière pour faire boire les chevaux.

Un matin, je vois tous les gars et même les officiers rassemblés autour d'un peuplier. Je regarde, des jeunes pies piaillaient dans un nid tout en haut. A leur tour, les gars s'essayaient à les dénicher. Il y en a qui montaient à moitié de l'arbre, d'autres moins. Je m'essaie, j'arrive en haut, je mets les cinq, six pies dans mon calot. J'en donne une au capitaine, je donne les autres aussi, mais j'en garde une jolie. Toutes les pies sont mortes sauf la mienne que j'ai élevée avec du pain et de la viande. Je l'appelais Margot. Pendant les étapes je la mettais dans la sacoche de Ramponneau. Tout le monde la chérissait. Le capitaine me l'a demandée, je lui ai dit :

— Mon capitaine, elle est plus à moi. Tout le monde la soigne un peu et je peux pas vous donner ce qui est à tout le monde.

Trois, quatre mois plus tard, on s'est trouvé en ligne avec des Anglais. Ils ont essayé de m'acheter Margot ; comme je voulais pas, ils me l'ont fauchée.

Chaque soir, les deux cents chevaux de la batterie étaient attachés par six ou douze à une corde. Un garde d'écurie se promenait, vérifiait que les chevaux ne bougeaient pas. Après deux heures, il réveillait son remplaçant.

Cette nuit-là, on cantonnait dans un bois. J'étais couché dans ma toile de tente. Mon tour de garde arrive, un gars me réveille et va dormir. Peut-être que j'avais pas beaucoup dormi depuis plusieurs jours : je dis " oui " et je me rendors.

Des chevaux se détachent dans la nuit, ils accrochent

la tente du capitaine et ils se sauvent. Voilà le capitaine à la belle étoile, il appelle :

— Garde d'écurie ! garde d'écurie !

Le lendemain ça pétait mal. Les gars disaient :

— Qui était garde d'écurie ? Les chevaux ont fichu la tente du capitaine par terre. C'est lui qui a été obligé de leur courir après.

Au rapport, devant toute la batterie :

— Qui était garde d'écurie ?

Des gars se présentent, le premier, le deuxième, le troisième qui dit :

— A deux heures j'ai appelé Grenadou.

— Ça se peut. Moi, j'ai rien entendu ou je me suis rendormi.

— Huit jours de prison !

Comme ils avaient pas de prison, un brigadier s'amène :

— Grenadou, prends cette brouette et brouette-moi ce fumier.

J'ai roulé la brouette jusqu'à ce que le brigadier ait le dos tourné. Alors, je l'ai laissée là, je crois bien qu'elle y est encore.

La division est arrivée au camp de Châlons dans les premiers jours de juillet. On disait que les Allemands allaient attaquer et on est monté en ligne comme réserve.

Le soir du 14 juillet, on a bu du champagne. J'étais fatigué, il faisait chaud et j'ai été me coucher au pied d'un méchant sapin. A minuit cinq, un bombardement me réveille. Sur les lignes, partout, c'était qu'un feu. Voilà la tremblote qui me rempoigne, comme en 16 au Bois du Chat. Les officiers criaient :

— Attelez !

Je me disais : " C'est la fin des haricots ! "

Pourtant ce sont les Boches qui ont reçu la dégelée. C'était le début de la fin. A partir de ce moment-là jusqu'à l'Armistice, les Allemands n'ont fait que reculer.

Fin août, début septembre, j'ai rejoint le régiment en Picardie après une permission. A Saint-Loup, j'avais fait la moisson et l'ouverture de la chasse avec le fusil du perruquier.

Mon cheval Ramponneau était mort. J'en ai choisi un autre qui faisait la paire avec Ponette, un petit alezan que j'ai appelé Poney. Avec ces chevaux-là, j'ai fini la campagne.

Le régiment arrive du côté de Montdidier et tout le monde commence à mourir.

D'abord, deux ou trois gars se font porter malades. Le major les envoie à l'arrière. Et puis c'est dix, vingt, trente gars. Le major veut plus les reconnaître. Le lendemain ils sont morts. La grippe espagnole nous avait pris.

Ils ont été forcés de relever le régiment pour nous envoyer en quarantaine. Personne avec nous. Tous les jours on évacuait des malades. Le major nous donnait du rhum et nous mettait de l'huile goménolée dans le nez. Comme d'habitude, on soignait nos chevaux, on astiquait le matériel, seulement les gars mouraient. J'avais le trac. Je me disais : " Mon vieux, ça va te poisser. " Eh bien ! ni Meunier, ni moi on ne l'a attrapée.

A ma pièce, sur douze bonshommes, il y en a peut-être

quatre ou cinq qui n'ont pas eu la grippe. Mais les au___
ne sont pas tous morts, ils sont revenus avec nous. La
quarantaine finie on a reçu des renforts et on est remonté
en ligne.

La guerre n'était plus la même. On marchait, on avançait. En reculant, les Allemands laissaient des nids de
mitrailleuses. Dans les champs, on voyait partout des
tas bleus, comme des tas de fumier, et je me disais :
" C'est-y pas malheureux, voilà bientôt la fin et des Français se font tuer. "

Je pars en permission. Les copains me disent :

— Quand tu reviendras, la guerre sera finie.

Je les croyais qu'à peine. Dans le train, tout le monde :

— Ça va être fini ! Ça va être fini !

J'étais à Saint-Loup depuis plusieurs jours, je labourais,
je commençais à me dire : " Merde, je vais retourner
avant la fin. " Comme je semais du blé juste en face de
la briqueterie, j'entends... à Mignières... les cloches !

J'entends Ermenonville-la-Grande... les cloches !

Et Luplanté.

Je dételle et je m'en viens chez Alice, ma copine. Je
lui dis :

— La guerre est finie et je suis point mort.

7

L'armée en paix

Mais j'avais signé pour quatre ans, et il a bien fallu que je retourne à l'armée. J'ai retrouvé mon régiment près de Fourmies. Là, j'ai appris qu'entre mon départ en permission et l'Armistice, en quelques jours, deux copains et un officier avaient encore été tués.

La division s'est mise en marche pour réoccuper le terrain que les Allemands abandonnaient. Tous les jours ils s'en allaient de trente kilomètres et nous avancions de trente kilomètres. Le soir on cantonnait dans des camps que les Boches avaient quittés le matin. On trouvait du monde qui n'avait pas vu de Français depuis quatre ans d'occupation. Ils avaient plus rien du tout mais ils nous recevaient très bien.

Quand on arrivait dans ces pays-là, ils réglaient leurs comptes, de vieilles querelles du temps des Allemands. Ils coupaient les cheveux aux bonnes femmes. Tu parles d'un cirque ! On trouvait pas ça de notre goût.

En Belgique, ils avaient été malheureux aussi et ils nous ont reçus à bras ouverts. A Bruxelles on a couché chez l'habitant, chez des gens qui nous ont accueillis très bien; ils nous ont fait de la place dans leur grenier.

Tout à coup, après dîner, voilà que des bonshommes cernent la maison, cassent des carreaux, commencent à se battre avec ceux qui nous recevaient. Encore des règlements de compte. Nous, on s'est battu pour défendre notre maison.

Passé Liège, le régiment est resté plusieurs jours en cantonnement dans le même pays. Bien rondelettes, les petites Belges allaient à la messe le matin et on les attendait à la sortie. Tous les soirs il y avait bal. Nous, on dansait, mais pas les officiers. Seulement, comme ils avaient de l'argent, ils payaient à boire à nos filles. Elles préféraient quand même danser. Le bal finissait à minuit et les officiers ont décidé que l'appel au cantonnement serait à onze heures. Résultat, à onze heures on embarquait toutes les cavalières ; les filles faisaient l'appel avec nous et messieurs les officiers restaient seuls avec la musique.

Sitôt entré en Allemagne, l'accueil n'a plus été le même, les gens avaient peur de nous. Faut dire qu'au début, ce qu'on a fait n'était pas très joli ; on entrait chez eux, on se servait, on vidait les placards, on cuisait la soupe sur leur poêle, on couchait dans le salon, nos godillots sur les canapés. Les femmes surtout ne pouvaient pas nous blairer parce qu'on salissait la maison ; tandis que je me souviens d'un type qui malgré tout notre sans-gêne nous a offert chacun un cigare. Fallait qu'il soit large d'idées !

Heureusement, ces mauvaises manières-là ont vite été défendues. Petit à petit, on est venu à Koslar, entre Düsseldorf et Cologne, la ville que le régiment devait occuper. Quand il a fallu planter le drapeau sur le bâti-

ment le plus haut du pays, le capitaine s'es[...]
je dénichais bien les pies et c'est moi qu'il a [...]
un moulin. Le meunier, un bon gars, m'a montré une
trappe qui menait sur le toit. De là je voyais le pays tout
autour et quand les Allemands ont aperçu le drapeau,
ils se sont mis à crier; ils avaient pas l'air contents.

Dans ce pays-là, les soldats ont reçu des billets de
logement. Avec Meunier, je me suis retrouvé chez des
bonnes gens qui étaient chics ! Ils avaient deux ou trois
filles dans les vingt ans. Ils nous montraient la photo
de leur gars qu'on avait tué à la guerre. Pourtant, ils
devenaient nos amis.

On couchait dans une chambre et les filles faisaient
nos lits. Le matin, nos souliers et nos houseaux étaient
à la porte, bien cirés. On descendait l'escalier, les filles
brossaient nos habits sur notre dos. En rentrant le soir,
on avait droit à un morceau de galette. Si j'étais de garde,
une des filles m'apportait un morceau de galette au poste.

On est peut-être resté un mois chez ces gens-là. Les
bals étaient défendus, mais avec quelques copains qui
jouaient de l'harmonica on organisait quand même des
petits bals clandestins dans les maisons des gens. C'était
formidable. Ce sont les Allemandes qui nous ont montré
à danser la valse et les lanciers.

Ma copine était couturière. Une blonde pas grosse,
plutôt fine. Elle m'avait retaillé mon uniforme. A cinq
heures elle m'attendait à la sortie de la caserne et on allait
se promener, danser, et tout ça. Elle habitait avec sa mère.

Ça marchait trop bien, on devenait trop copain avec
les gens, l'armée nous a fait coucher dans des écoles. On
redevenait militaire. Ils nous passaient en revue. On

défilait devant des généraux. Ils commençaient à nous emmerder avec leurs histoires de machin.

Les soldats devenaient moins disciplinés. Pendant la guerre, on était copain avec les gradés ; maintenant, ils prenaient leurs distances. Ils voulaient qu'on les salue à tous les coins de chemins. Ils nous traitaient comme des bleus, même des gars de quarante ans qui avaient quatre ans de guerre. Quand on a fait plus de quatre ans de guerre, on ne veut plus faire le con comme un gamin. L'armée se gâtait. Les anciens en avaient marre.

Je m'entendais mal avec le maréchal des logis. Je l'avais connu conducteur de pièce, un fainéant. Il aurait voulu que je lui serve d'ordonnance et, comme ça ne me disait rien, on se regardait en chien de faïence.

Voilà qu'un matin au rassemblement :

— Grenadou, transféré à la cinquième pièce !

Après deux ans à la quatrième pièce avec Meunier... Je savais bien d'où venait ce mauvais coup : le sous-off' m'avait pistonné. Je demande raison au capitaine, rien à faire.

Le lendemain, quand les gradés ont appelé des volontaires pour être détachés au 8e Génie comme conducteurs, je me suis dit : " Qu'est-ce que tu fais là, 'Phraïm, puisqu'ils sont en train de t'emmerder ? " Avec un copain, je me suis porté volontaire.

Fin janvier, début février, on arrive au 8e Génie et je m'informe des permissions. Tous leurs gars y avaient été. Avec le copain, on fait une demande et nous voilà partis chez nous.

Quand on rentre une quinzaine de jours plus tard, le bureau nous dit :

— Votre régiment vous a réclamés.

Nous voilà repartis, cette fois avec un ordre de route pour Trèves et Strasbourg, parce que le 27e était rentré en Alsace. Je dis au copain :

— Si, pour aller à Strasbourg, on faisait un petit tour par chez nous ?

— D'accord !

Le copain était du Midi, mais il avait de la famille à Paris. Après quelques jours à Saint-Loup, je passe le reprendre chez ses parents. On file à la gare de l'Est. Là les gendarmes militaires regardent notre ordre de route. Ils ne comprenaient pas très bien ce qu'on faisait à Paris. J'ai fait l'idiot :

— On est monté dans le train pour aller à Trèves...

Bref, on a fini par trouver le régiment dans le Bas-Rhin. On se présente au bureau du régiment, dans une grange.

— D'où venez-vous ?

— Eh bien, du 8e Génie...

— Depuis le temps qu'on vous a réclamés ?

— Ils attendaient qu'on soit remplacés pour nous renvoyer.

Une fois réintégré sans trop de mal dans le 27e, je m'aperçois que beaucoup de gars avaient été en permission pendant notre absence, et que notre tour était passé. Avec le copain, on retourne au bureau dans la demi-heure. J'entre. Personne ne m'avait vu et justement le capitaine était là et parlait de moi.

— Ce Grenadou, c'est un as.

Je me dis : " Attention, ils en sont sur ma coche. " Tant pis. J'y vais au culot. Je salue :

— Mon capitaine, on vient demander nos permissions puisqu'on n'était pas là et que notre tour est passé.

Le soir, on se retrouve dans le train.

A Saint-Loup, ils s'habituaient à me voir là tous les dimanches. J'apprenais aux filles et aux gars à danser la valse et les lanciers. Avec Alice, on s'entendait de mieux en mieux et on parlait de se marier.

Je me disais : " Ça leur apprendra à vouloir me changer de pièce. "

Au régiment, les têtes changeaient. On voyait de jeunes recrues et des Polonais habillés en Français. Ils se préparaient pour partir en Russie faire une espèce de guerre qu'ils avaient recommencée là-bas.

Un matin d'avril, d'un seul coup, à l'appel, j'entends mon nom :

— Grenadou, vous allez partir en Orient. Vous avez été volontaire.

C'est vrai qu'en 18, je m'étais fait inscrire pour la Syrie. Avec l'armée, rien à faire pour se dédire, et, après un détour pas très officiel de quelques jours par Saint-Loup, je me retrouve au Fort de Charenton. Là, je commence par me débrouiller pour avoir une permission.

Mais tout a une fin, et je me vois dans ce fort entouré de murs de plus de quatre mètres, avec des milliers d'autres bonshommes. Une fois entré là-dedans, rien à faire pour sortir, comme en prison. Toutes les semaines, ils habillaient des gars à neuf, et en route pour l'Orient.

Bien sûr, personne voulait partir. On en avait tous marre, de l'armée. Mai et juin se passent dans ce fort, et nous rien à faire que d'attendre aux fenêtres qu'un officier traverse la cour; alors ça criait de partout :

— Tue-le ! A mort !

Un soir, un détachement devait partir, peut-être huit cents ou mille hommes. Rassemblement à huit heures. Au lieu de se mettre en rang les gars jettent leurs sacs d'un tas au milieu de la cour :

— On part pas.

Tous les soldats de la caserne autour d'eux. Ça criait ! Les gradés affolés. Ils vont chercher le colonel, un gros bonhomme à la figure toute rouge qui s'amène avec ses officiers.

— Refus d'obéissance ! Biribi !... et tout le bazar.

— Tue-le ! On partira pas ! A mort !

Le colonel veut faire arrêter un soldat par un adjudant. L'adjudant se fait casser la gueule. Le colonel change de tactique :

— Les gradés qui doivent partir, à droite avec vos sacs !

Bien sûr, les gradés, qu'est-ce qu'ils ont fait ? Ils ont eu peur pour leurs galons, leurs petites ficelles, ils ont ramassé leurs sacs et ils sont partis à droite. Ils ont bien reçu en chemin quelques coups de pied dans le cul...

Après, le colonel a dit :

— Ceux de la classe 19, à droite !

C'était des gamins, ils ont suivi. Une fois les gars divisés, il leur restait plus qu'à partir. Force a été à la loi.

Quelques jours après, à notre tour d'embarquer pour Fréjus. Deux jours de train. Les gars étaient comme fous. Partout où le train s'arrêtait, ils pillaient les wagons des trains de marchandises, ils faisaient sauter les bouchons des barriques de pinard et gaspillaient des centaines de litres pour remplir quelques bidons. Les chefs de gare appelaient les gendarmes qui n'osaient pas s'approcher, on les aurait tués. Partout quand on passait, c'était des grêles de pierres. Les gars se saoulaient, étaient malades, à ne pas prendre le train avec des pincettes. Deux jours de ce voyage catastrophique. De soldats, on était devenu des bandits.

On est arrivé à Fréjus le jour du 14 juillet. Ils nous ont mis dans des camps où les noirs avaient passé les hivers pendant la guerre. On entre dans les baraques, deux heures après on s'en sauve, couverts de puces. On a été forcé de coucher dehors, heureusement qu'il faisait chaud. Avec ça, on était mal nourri, on volait des pêches. Le moral allait de mal en pire. Les officiers se faisaient siffler. Ils étaient plus les maîtres. Ils s'enfermaient dans leurs baraques. Les soldats jetaient le contenu de leur gamelle devant leurs portes ou contre leurs fenêtres. Ils nous aimaient pas, les officiers; nous non plus. On ne voulait plus se voir.

J'avais rien à faire, je traînais dans les bureaux. Heureusement, parce que j'entends lire un jour une circulaire ministérielle qui disait : " Tout homme ayant moins de trois mois à servir ne sera pas envoyé en Orient. " Comme mon engagement de quatre ans finissait au mois de septembre, j'étais dans cette catégorie-là.

Naturellement, j'ai rien dit. J'ai attendu le jour où ils m'ont désigné pour prendre le bateau :

— Je pars pas.

— Comment ?

— Il y a une circulaire au bureau qui dit que vous avez pas le droit de m'envoyer.

— C'est pas vrai !

— Ah, mais si !

J'ai emmené le capitaine au bureau. Les gars cherchaient la circulaire dans tous les coins; ils la trouvaient pas. Je te garantis que, moi, je l'ai retrouvée. Au lieu de prendre le bateau, j'ai obtenu une permission agricole de quarante-cinq jours. Et me revoilà à Saint-Loup.

Ma permission finie, je retourne à Fréjus.

— Qu'est-ce que vous faites là, Grenadou ? Faut aller vous faire démobiliser à Chartres !

Ils ont pas eu besoin de me le dire deux fois. J'en voulais plus de leur guerre. J'y avais bien été parce que j'étais forcé, mais après j'en voulais plus.

L'armée m'a donné quelques sous, mon pécule, ma paie, des indemnités, peut-être mille francs. J'ai fait un ballot de mes affaires, j'ai ficelé le tout avec ma fourragère et je m'en suis venu au village, en civil.

J'étais pas comme notre commandant. Il nous avait dit :

— Mes amis, la guerre est finie, ma carrière est brisée.

Moi, la guerre était finie et ma carrière allait peut-être commencer.

8

Mariage et débuts

Sitôt démobilisé, j'ai emmené Alice à Chartres chez le bijoutier qui fait le coin de la rue du Bois Mérin et de la rue Noël Ballay. Elle a choisi une bague de fiançailles en or, une bague de trente-cinq francs.

La mode de se marier était un genre de maladie après la guerre. Tous les gars comme moi se mariaient avec leur copine qui leur avait écrit à l'armée. Fallait qu'on attende son tour. La semaine qu'on s'est marié avec Alice, il y a eu trois noces à Saint-Loup.

Avec Papillon et la carriole de mon père, on a été prier les gens de la noce : des parents de Luplanté, de Bois de Feugères et de Meslay-le-Grenet. Comme de coutume, j'ai payé sa robe blanche à la mariée. Mais je crois que j'ai été le premier à Saint-Loup à ne pas acheter de redingote pour mon mariage; j'ai emprunté la sienne à mon beau-frère Clément.

La veille au soir on s'est confessé. Saint-Loup avait un nouveau curé, le curé Meunier. Je sais pas ce que la mariée lui a raconté. Moi, j'ai pas voulu faire du cinéma et je lui ai dit :

— Voilà, j'ai point de péchés.

On s'est marié le 27 octobre 1919. Alice était jolie comme toutes les mariées. Tu sais, tout le monde était pareil. On a été une trentaine à faire la noce dans la grange, chez mon beau-père. Des femmes du pays aidaient à la cuisine et au service. Le sabotier nous a fait danser avec son crin crin. Mais les mariages ne se passaient plus comme avant-guerre; il n'y avait plus de maîtres-gars à Saint-Loup puisque la moitié avait été tuée et le reste s'était marié tout de suite en rentrant.

Quand on a eu soupé, chanté, et dansoté, tout le monde est rentré chez soi vers minuit.

Le lendemain matin, j'ai rapporté sa vaisselle et ses tables qu'on avait empruntées à Achille Pommeret. L'après-midi, c'était encore un peu fête et avec Alice on s'est promené. On a été payer les serveuses.

Il était entendu que je travaillerais chez mon père pour quatorze cents francs par terme. Dès le 29, je suis allé au boulot. Je me souviens qu'il est tombé un peu de neige et que je chargeais des betteraves dans un tombereau.

Comme tous les charretiers depuis toujours, je quittais ma femme de bonne heure pour aller soigner mes chevaux et je ne rentrais que le soir après le souper.

A Saint-Loup, on a voté après la guerre. A la place des anciens conseillers, on a mis des gars qui revenaient de l'armée. Lucien Launay est devenu maire.

J'avais de la chance d'avoir mon père pour patron. C'était mon copain. Étant jeune, il m'avait un petit peu ordonné et il avait raison : mais après, on a été des amis. Il m'a toujours soutenu.

Justement un locataire quittait sa ferme du Temple. Mon père connaissait le propriétaire et lui avait parlé : une centaine d'hectares, à quatre-vingts francs l'hectare. C'était le prix, c'était bien. Mais il aurait fallu que je me monte en chevaux et en matériel. Je n'avais que six mille francs : mille francs de l'armée, deux mille francs de mon père, trois mille francs du père d'Alice.

Mon père voulait bien m'aider encore. Malheureusement, il n'était pas assez riche et ne pouvait pas tout faire seul. Il fallait que le père d'Alice fasse comme le mien. Il n'a pas voulu. C'est là qu'il m'a dit :

— Je veux cultiver ma ferme un an ou deux, et après je vais vous la laisser.

Alice non plus ne tenait pas à déménager; elle préférait rester avec ses parents.

Ça me tourmentait. Une ferme de cent hectares tout de suite, ou les vingt-cinq hectares du beau-père dans plusieurs années... Je venais de me marier, j'étais pas le maître tout à fait ! Quand on est obligé de compter sur les autres !

Enfin, un samedi de novembre, le propriétaire de cette ferme m'a convoqué chez lui à Chartres. Tout l'après-midi, il m'a expliqué l'affaire. Je me tâtais. J'avais du regret, mais j'avais peur et à la fin j'ai pas voulu.

Un mois après, je lis sur le journal que l'Hospice de Chartres louait dix-huit hectares sur Saint-Loup. Je dis à mon père :

— Je vais prendre ça et tu m'aideras un peu.

Cette fois, mon beau-père aussi est d'accord. J'en prends neuf hectares et je laisse l'autre moitié à mon beau-frère Clément. J'ai payé cinq cents francs, un an d'avance.

Le dimanche, je prenais les chevaux de mon père et

je labourais mes champs. Quand j'ai pris cette terre-là,
elle était d'une maigreur ! Les gars récoltaient presque
rien dedans. En place de fumier, j'ai mis de l'engrais.
J'aurais pu en mettre plus, mais j'osais pas trop, et l'engrais
coûtait cher. Je le semais à la main, un sale boulot; cette
poussière prenait à la gorge et le soir j'étais malade à
crever. N'empêche que dès la première année, j'ai fait
une belle petite récolte.

Mon père m'a donné aussi une vache dont Alice s'occupait. On vendait le lait. Je n'avais que du bénéfice et pas
de frais puisque Alice vivait chez ses parents, que j'étais
nourri et payé par mon père et que je me servais de ses
chevaux. Cette première année, on a mis six mille francs
de côté, et autant l'année suivante [1].

A la Saint-André en 1920, j'ai acheté un poulain. Je
l'ai appelé Coquet. J'ai été tout l'après-midi à passer
et à repasser devant les chevaux. Il y a peut-être vingt-cinq
tares possibles dans un cheval et j'aurais pas voulu acheter
un poulain taré. Ils étaient des centaines à vendre et j'en
voyais des biens, des mieux, jusqu'à temps qu'un me
plaise. C'était mon plaisir de l'élever et de le dresser à
mon goût, un bon petit cheval que j'ai acheté mille
francs et que j'ai revendu cinq mille à six ans.

Bien sûr, on travaillait le dimanche. Le bal c'était fini.
A peine si on allait à Chartres tous les deux mois, ces
premières années. C'est le boulot qui a remplacé le plaisir
et on a pris plaisir au boulot.

La distraction, c'était la chasse. Un des voisins de mon

1. Les débuts de Grenadou dans sa vie d'homme ressemblent
beaucoup à ceux de son père. A noter l'aide de la famille, qui est
déterminante.

père m'a vendu son fusil pour soixante-dix francs. Je faisais mes cartouches. On vendait le gibier pour payer le permis. A Saint-Loup, on était une dizaine de chasseurs, mais personne ne mangeait de gibier, sauf peut-être un lapin de garenne.

Il y avait aussi les pompiers. J'étais marié depuis un mois quand le maire est venu me trouver pour que j'entre à la compagnie des pompiers de Saint-Loup ; soi-disant qu'ils avaient besoin de jeunes. J'y suis resté quarante-deux ans. Quand le tocsin sonnait, il fallait s'en venir tout de suite des champs. On avait une pompe à bras tirée par un cheval. On avait des habits pour aller au feu et des habits de fantaisie pour les cérémonies ou les enterrements de conseillers municipaux.

En quarante-deux ans, je peux dire qu'on a été utile deux fois.

Une fois, avec le commis du charron, j'ai sorti les trois vaches de Cagé dont l'étable avait pris feu. L'autre fois, en 22, le feu avait pris à Luplanté. Les toits étaient encore tous en paille ; c'était en juillet, le vent envolait des flammèches qui mettaient le feu à tout le village. On était venu de Saint-Loup pour les aider. Notre pompe était dans la cour du maréchal-ferrant et on prenait de l'eau dans sa mare. Tout autour de nous, la paille prenait feu. Le maire a dit :

— Tirez-vous de là !

Mais le maître d'école, monsieur Simon, criait :

— Non, non, non ! Continuez !

On arrosait, ça fumait, ça chauffait, mais ça a fini par s'arrêter. Heureusement, parce que si le feu avait sauté là, il aurait encore brûlé un quart du pays.

Après quinze ans, chaque pompier avait sa médaille. Une autre après vingt-cinq ans. Avec mes quarante-deux ans de service j'ai eu droit à la médaille d'or mais j'en ai pas voulu. Pour le travail que j'avais fait, j'en avais pas besoin et la commune m'avait payé quarante-deux banquets de Sainte-Barbe et autant pour le 14 juillet.

Et quels banquets ! Dans ce temps-là le monde souffrait un peu. Avec le pot-au-feu, on buvait du vin, de la goutte au café. Les gars savaient pas se retenir, il y en a qui se cuitaient. Ils arrivaient à se disputer, même à se battre pour des rancunes de trente ans, pour de vieilles histoires de bonnes femmes. Ceux qui fumaient pas en mangeant engueulaient ceux qui allumaient leur pipe. Bref, il y avait de l'ambiance.

Ensuite, le violon du sabotier nous faisait un petit bal ; plus tard, il a fallu se contenter d'un gramophone.

C'est en 1922 que mon beau-père nous a cédé sa ferme. J'ai tout fait estimer par un expert et, avec les sous qu'on avait mis de côté, j'ai payé un bon acompte sur la reprise.

Mon beau-père avait acheté une petite maison pas loin de chez nous pour se retirer. Il a été s'y installer avec ma belle-mère et Marius.

J'avais donc les vingt-cinq hectares de mon beau-père et les neuf hectares loués à l'Hospice. La République prêtait de l'argent à deux pour cent aux anciens soldats, grâce à quoi j'ai acheté six hectares en empruntant dix mille francs que j'ai rendus au bout de deux ans. Fais le compte, je cultivais quarante hectares.

J'ai pris un charretier, un Italien, un bon garçon qui venait de Dammarie à vélo tous les jours. Il est resté peut-être deux ans avant de prendre une ferme.

Avec mon copain le sabotier, le dimanche après-midi, je me suis fabriqué une grande table et une voiture. Le bois venait d'un chêne du parc de Chenonville qu'on avait acheté sur pied et scié en long tous les deux.

Mon père cultivait vingt-cinq hectares. Ça faisait soixante-cinq à nous deux, déjà une belle petite récolte ; mais c'était les entrepreneurs qui battaient chez nous alors que dans les grandes fermes ils avaient leur machine. On s'est donc mis ensemble et, pour trois mille francs, on a acheté une trépigneuse. En place de payer un entrepreneur, on battait notre grain et on en tirait un bénéfice.

Pour actionner une trépigneuse, un cheval marche sur un chemin qui ressemble à une chenille de tracteur ; au lieu que ce soit les rouages qui font tourner la chenille, c'est la chenille qui fait tourner les rouages qui actionnent la batteuse. Pour dresser les chevaux de mon père, je leur mettais de l'avoine dans une auge ; quand ils sentaient l'avoine, ils grimpaient tout seuls sur le chemin. On battait une trentaine de quintaux par jour. Plus tard, on a remplacé le cheval par un moteur électrique.

On avait sept vaches. Comme le lait était trop bon marché, au lieu de le vendre, on avait un plus grand bénéfice à engraisser des veaux.

Je les achetais petits, je les revendais gras, mais toujours il fallait passer par des maquignons.

Le jeudi à Chartres, il y avait un marché aux veaux sur un terre-plein à côté de la gare du tramway. Tous les maquignons se connaissaient ; ils buvaient ensemble et s'entendaient à dire le prix qu'ils voulaient. Quand un gars arrivait avec un veau dans sa carriole, les marchands se mettaient autour de sa voiture et si son veau valait quatre-vingts francs, ils en disaient quarante et personne d'autre qu'eux pouvait en approcher. Ils faisaient le mur. C'était les caïds, et les cultivateurs en avaient peur. On était exploité dans ce temps-là, et depuis toujours, par une bande de gars en blouse qui portaient un gros gourdin pour taper sur les bêtes, et qui vivaient grassement en nous volant impunément.

Un jour je me suis battu sur le marché aux veaux.

Je me trouvais debout derrière des maquignons qui étaient en train d'estamper un cultivateur. De la main, je lui fais voir que je prends son veau à son prix. Le gars reconnaît un paysan et il refuse de vendre aux marchands. Ils se retournent et ils s'aperçoivent que c'est moi qui avais fait signe. Il y en a un qui lève son gourdin, un type de cinquante ans, et qui vient pour m'en fiche un coup. Je me dis : " J'arrive de la guerre. C'est quand même pas un marchand qui me fait peur, nom de Dieu ! " J'empoigne le bonhomme et je l'envoie sur le milieu du marché, les pattes en l'air. Un autre avance. Je lui dis :

— Je t'en fous autant.

Ça s'est fini là et j'ai acheté le veau du gars.

Heureusement, les bouchers commençaient à avoir des autos et à s'approvisionner chez le producteur. Ils nous payaient mieux et ça leur coûtait moins cher. Un boucher de Chartres venait chez moi. Après, j'ai trouvé un boucher

d'Illiers. Non seulement il m'achetait mes ve...
mais il me disait quels cultivateurs avaient des veaux de lait à vendre. Plus besoin de passer par des maquignons.

Même chose pour les cochons. Dans toutes les fermes on en élevait trois ou quatre par an. C'est des marchands de bestiaux qui nous fournissaient les cochons de lait au prix fort et je voyais bien sur le journal qu'au marché de Brou ils étaient moitié moins chers.

D'ailleurs, ces cochons du Perche ne valaient rien, souvent malades, et ils donnaient de la mauvaise viande. Donc, j'étais content ni des marchands ni des cochons...

Je lisais *la Défense agricole*, le journal du syndicat. Là, il faut dire que le syndicat existait depuis longtemps mais qu'il n'avait que de petits dépôts et ne faisait pas beaucoup de commerce. Les paysans en faisaient partie sans être syndicalistes. Ils achetaient et vendaient leurs produits ailleurs parce qu'ils ne savaient pas encore que le syndicat était pour les défendre.

Donc, mes cochons. Je lis sur *la Défense* une petite annonce : " Élevage en plein air de la Saussay. Docteur Durupt. Venir le dimanche seulement. "

Avec mon père, on attelle le cheval et nous voilà partis un dimanche matin. C'était loin, au moins vingt kilomètres, une drôle de corvée. Mais on arrive dans ce château, avec un parc divisé en carrés où chaque coche avait sa petite maison d'où elle sortait comme elle voulait, des distributeurs de nourriture, le tout propre et rose et blanc.

Dans le milieu de tout ça, le docteur Durupt et son beau-frère, Monsieur Émile. Le docteur avait un laboratoire à Paris et il élevait des cochons pour son plaisir.

Il faisait venir d'Angleterre des bêtes qui lui coûtaient cinq mille francs, des champions avec des oreilles droites et un joli nez pas trop long. Chez lui c'était plein de médailles gagnées dans des concours à Paris ou ailleurs, des premiers prix sur toute la ligne. Monsieur Émile gérait l'élevage.

Le docteur nous explique tout et comment il nourrissait les bêtes avec du grain, de l'eau à côté et un peu de charbon de bois pour faciliter la digestion. Chez nous on leur donnait de la mauvaise pâtée, et jamais le cochon ne sortait à l'air.

On achète un cochon de lait au poids, un prix très juste. J'ai copié de suite sur le système du docteur et mon cochon s'est élevé avec une viande moitié meilleure que les autres. Je me disais : " Il fait de la réclame pour sa marchandise, et c'est vrai. " Tous les trois ou quatre mois, je retournais à la Saussay acheter un cochon de lait. Un jour que j'y étais allé avec trente francs en poche, voilà que justement ils n'avaient plus de petits. Ils m'en offrent un plus gros.

— C'est que j'ai pas assez d'argent pour vous payer.

— Monsieur Émile, je veux pas que ce monsieur-là s'en aille sans rien. Donnez-lui un cochon pour l'argent qu'il a.

Et il m'a donné une bête qui valait le double.

Ça me plaisait tellement, j'aimais tant les bêtes et ces cochons étaient tellement beaux, que je voulais en élever. Mais à Saint-Loup, tout ce qu'on savait faire c'était engraisser des cochons qui venaient d'ailleurs. Chaque fois que je revenais de la Saussay, je disais à la patronne :

— Je veux élever des cochons.

Au début, Alice répondait :

— On a jamais vu ça. D'abord, s'il entre une coche à la maison, moi je m'en vais.

L'envie me passait. Je retournais à la Saussay. L'envie me reprenait. Enfin, au bout d'un an ou deux, j'ai pu convaincre Alice. Mais j'osais pas demander au docteur de me vendre des reproducteurs. J'avais peur qu'il soit peut-être jaloux de son élevage.

Enfin je lui demande :

— Vous pourriez pas me vendre deux petits cochons qui soient pas castrés ?

— A cause ?

— J'aurais voulu en élever.

— Écoutez, si ça vous plaît, je vous fournirai des bêtes comme il faut. Pour l'instant j'en ai pas. Revenez dans un mois ou deux.

La première coche qu'il m'a vendue avait douze tétines, un bassin extra. Il m'a dit :

— Surtout, faites pas de frais. Simplement une petite cabane bien propre. Aujourd'hui la viande se vend bien, mais le marché a des hauts et des bas.

Cet homme-là, il était médecin et riche, mais on n'en voyait rien. Un vrai ami. Il m'a donné des conseils que j'en ai tiré un drôle de bénéfice.

J'ai construit moi-même une petite cabane où j'ai mis de la paille et des planches. Elle couchait bien au propre. Elle allait, elle venait. Elle s'appelait Mirette. Le docteur m'avait conseillé d'être très doux. Traitée comme ça, un cochon est peut-être l'animal le plus fidèle de la ferme. Je lui causais, elle me répondait.

C'est en 23 que j'ai acheté Mirette. Le jour qu'elle a

mis bas tout le monde de Saint-Loup est accouru puisqu'ils avaient jamais vu ça. Monsieur Émile m'aidait. Elle a fait douze petits cochons qui ont poussé comme des champignons. Je les ai vendus au pays. J'en avais pas pour la demande.

Cette coche-là, en un an et demi, elle m'a fait cinquante-six cochons. J'étais là quand elle mettait bas. Je la chérissais, elle se couchait. Toutes les cinq minutes, il en sortait un. Ils sortaient comme des petits pains : hop ! Avec mes ciseaux je leur coupais le cordon, j'y mettais de la teinture d'iode. Le cochon se secouait, faisait le tour de sa mère et venait téter. Et après un autre, un autre encore, hop ! Je causais à la mère, elle savait que je faisais pas de mal à ses petits. Une bête de trois cents kilos avec des petits d'une livre, faut voir comme elle y faisait attention. Quand je voulais les faire téter, je chérissais Mirette, elle s'allongeait et tous les petits venaient à table.

Après, j'ai acheté un Miron pour ma Mirette, encore des coches et encore des verrats. Le docteur me les choisissait. J'ai eu jusqu'à un cent de cochons.

Au début, je vendais des cochons de lait dans le pays ou aux alentours. Ce qui m'a un peu dégoûté, c'est qu'il y en avait qui me payaient jamais. On n'avait pas beaucoup de sous et moi je pouvais pas demander d'argent, même à un gars qui m'en devait, ça me faisait mal au ventre.

Si j'avais continué, ça m'aurait ruiné et pourtant je réussissais. Je disais à un gars qui me devait déjà trois cochons :

— Prends un de ces petits-là, ils sont pas chers.

Il se détournait, il en attrapait un moitié plus gros par-derrière.

— Tiens, je vais prendre celui-là !

— Ah, oui ? Bien, mais...

Je me suis dit : " Mon vieux, ça va pas. Maintenant je vais plus en vendre, je vais les engraisser. " J'ai fait le commerce avec les charcutiers et j'ai commencé à gagner des sous. Pendant plus de vingt ans j'ai élevé des cochons.

Notre première fille est venue au monde en décembre 25. J'avais point encore d'auto et j'ai été chercher le médecin de Meslay-le-Vidame, à cheval, dans la nuit. Elle est née le dimanche à midi, avec le fer; ça me plaisait pas trop, mais, heureusement, il n'y a pas eu de dommage. Bien sûr on attendait un garçon. Le médecin qui était un bon gars nous a dit :

— Puisque voilà une fille née au moment de Noël, faut l'appeler Aurore.

En 1926, ma belle-mère est morte d'un cancer. Une nuit, Marius a frappé à la porte. Le pauvre gosse avait douze ans et il venait retrouver sa sœur. Depuis, il est tout le temps resté avec nous. On l'a envoyé à l'école, Alice lui servait de mère.

Le beau-père a continué de vivre chez lui, sauf qu'il venait à la maison partager le repas de midi.

Cette année-là, j'ai fini de lui payer la reprise de sa ferme.

Comme il me restait de l'argent de côté, j'ai dit à mon père :

— Tu sais pas ? On va se mettre tous les deux et acheter un tracteur.

Pour six mille francs, j'ai trouvé un Fordson d'occasion, une drôle de saloperie avec des roues de fer, un volant magnétique et des trembleurs. Ça marchait au pétrole mais ça partait à l'essence et quand le moteur était chaud il fallait passer au pétrole. Pas de cabine dessus pour abriter du vent ou de la pluie. N'empêche que ça faisait bien le travail de huit chevaux. Comme charrue, j'avais une John Deer de cinq mille francs.

Toujours en 26, j'ai ouvert un compte à la Régionale. Aujourd'hui, la Régionale occupe un coin de la place des Halles. C'est une bâtisse de marbre avec deux cent trente-cinq employés. En ce temps-là, on peut dire que ça marchait tout doucement et la Régionale était au premier étage du syndicat agricole, au fond du corridor, avec trois hommes pour s'en occuper. J'ai déposé cinq mille francs qui provenaient de la vente d'un cheval [1].

Enfin, c'est en 26 que Paul Richer est arrivé à Saint-Loup.

Je le connaissais de loin. Au Bois de Feugères, il travaillait depuis la guerre à la ferme de ses parents, une petite ferme de trente hectares dans un pays où il ne pouvait pas s'agrandir.

Il a pris la ferme de la Bourdinière, deux cents hectares. Quand il s'est amené là, personne ne croyait qu'il pourrait réussir. Le gars qui avait tenu cette ferme était ruiné complètement. La terre était dans un état de chiendent et de chardons indescriptible, tellement que les chevaux ne pouvaient plus labourer. Richer ne trouvait même pas

---

1. La Régionale, c'est la Caisse régionale de crédit agricole, création du Syndicat agricole ce qui explique son implantation dans ses locaux.

de quoi nourrir ses vaches et il payait des femmes pour qu'elles aillent leur couper de l'herbe le long de la grand-route.

Richer s'en est venu avec un tracteur McCormick, plus puissant que mon Fordson, et une charrue à trois socs. De son pays il avait amené un conducteur, un gars actif. Jour et nuit, il s'est mis à brasser la terre, toute la terre, les deux cents hectares.

Il a ensemencé les champs. Mais voilà que c'était un automne de misère : une invasion de mulots est venue. Rien que des mulots sur la plaine. Ils ont mangé notre blé, ils rongeaient l'écorce des arbres, ils grattaient l'herbe des fossés. Bientôt, sur toute la campagne, on ne voyait plus un brin de vert. Le soir, quand je rentrais de charrue, le bruit des mulots qui se sauvaient me faisait peur.

On a creusotté pour qu'ils se noient dans les trous, on a piégé, empoisonné, rien à faire.

Ces mulots, ils ont gaspillé notre semence : tout, tout, tout !

Heureusement ils sont morts à la fin de l'hiver. Au printemps, on a rebrassé nos terres, semé de l'orge et eu une bonne récolte.

Mais cet automne-là, Richer a demandé à son propriétaire de le payer que l'année d'après ; les mulots lui avaient mangé son bénéfice. C'est pas ça qui l'a arrêté parce que c'était un tenace.

Richer avait trois ans de plus que moi ; un homme marié et père d'un petit garçon. Je le rencontrais à la forge ou chez le charron. Comme on était les seuls de Saint-Loup avec un tracteur, on a commencé par parler machine, et puis engrais, toutes les cultures. J'allais le voir, et puis voir. En travaillant, on devenait des amis.

Il était bricoleur. Comme nos tracteurs roulaient au pétrole, à vingt sous le litre, il avait combiné de marcher au fuel domestique qui valait cinq sous. Il m'a aidé à transformer mon Fordson. Le fuel passait dans un réchauffeur en serpentin. Au début, cette invention ne marchait que vent arrière et il a inventé une tôle qui empêchait l'air de trop refroidir le moteur quand on remontait le vent.

Des heures, on causait. On se montrait nos champs. Les journaux parlaient d'engrais. On faisait des expériences sur des parcelles témoins. Pour les résultats, pas besoin de cahiers : les unités d'acide phosphorique, la potasse, on avait ça dans la tête. On en causait des nuits entières. Richer avait une Citroën, une B 2. Tous les ans il m'emmenait à Paris au Salon. On visitait les fermes expérimentales. On étudiait les cultures dans tous les coins du département. On s'intéressait aux expériences des autres.

Richer, je le reconnais, il était plus fort que moi. J'ai copié sur lui. Je voyais que je pouvais avoir confiance, rien qu'à regarder ses récoltes. Lui, il aimait donner des conseils et moi, j'en avais besoin.

Par exemple, les vieux ne labouraient jamais plus de dix centimètres. Bien sûr, avec seulement du fumier, ils ne pouvaient pas fertiliser plus creux que cela. Mais avec Richer, on s'est mis à labourer à vingt centimètres en ajoutant de l'engrais. Les gens nous croyaient fous.

Aussi, petit à petit, il a supprimé ses jachères. On s'est mis à faire de la betterave à graines, des petits pois, des haricots, toutes sortes de cultures secondaires. Richer a révolutionné le coin. Pour l'équipement mécanique, il était le plus fort de l'Eure-et-Loir.

Éliane est née quatorze mois après Aurore, en mars 27.
Le docteur me dit :

— C'est encore une fille.

Trois jours après, Clément a eu son accident. Les champs
étaient mous à cause de la pluie, Clément conduisait le
tracteur qui commence à s'enterrer. Ça creuse, ça creuse,
on voyait bientôt plus le tuyau d'échappement. Je cherche
des bouts de bois pour sortir le tracteur de là. Clément passe
en première, mais au lieu d'avancer, le tracteur se dresse
et se renverse. Clément à moitié enfoui dans la boue.
J'essaye de repousser le tracteur, c'était comme si j'avais
foutu un coup d'épaule dans la cathédrale. Je dis à Clément :

— Je vais aller chercher...

— Non ! Non !

Il voyait l'invention au-dessus de lui. C'est que plus
d'un gars avait été écrabouillé comme ça. Pour le sortir
de là-dessous, j'ai coupé ses habits au couteau. Je l'ai
ramené chez lui par-derrière le village. Le médecin est
venu, mais Clément n'avait rien de cassé. On peut dire que
ce jour-là, il est passé par deux portes.

En 1928, j'ai repris la ferme de mon père. Plus dix
hectares que j'avais achetés : ça faisait soixante-quinze
hectares à cultiver.

Mes vaches ont attrapé " l'avortement épizootique ",
une maladie qui se gagne. Les bêtes vèlent à quatre mois,
elles deviennent maigres, elles n'ont plus de lait. Mes
vaches sont tombées à zéro. Plus possible d'élever des
veaux. J'ai acheté des moutons.

Mon père m'a aidé à payer les quatre-vingts premières brebis. Comme il était encore valide, il faisait le berger. J'avais acheté un âne et fabriqué une petite voiture avec des roues d'auto pour qu'il soit pas obligé d'aller à pied. La nuit, il restait chez lui et mes commis couchaient dans la cabane du berger.

Les années suivantes, j'ai augmenté mon troupeau jusqu'à avoir deux cents mères, toutes de la race de l'Ile-de-France. Mon copain Alcide Manceau me fournissait des béliers Southdown. Ça faisait de jolis agneaux qui devenaient plus gros que la race pure en gardant les mêmes qualités.

Dans ce temps-là, on ne déchaumait pas comme aujourd'hui. De l'herbe sauvage poussait dans les chaumes ; les moutons en vivaient de la moisson à la Toussaint, même jusqu'à la Saint-André.

Saint-Loup se modernisait. L'électricité est venue en 26 et l'eau dix ans plus tard.

En 30, j'ai été élu conseiller municipal et le soir des élections les gars du pays m'ont porté en triomphe et j'ai payé ma tournée générale.

Cette année-là, j'ai acheté d'occasion pour six mille francs une batteuse à moteur qui pouvait faire jusqu'à soixante quintaux par jour.

Et je crois que c'est en 30 que j'ai acheté ma première voiture : une B 2 d'occasion que j'ai payée six mille francs, et encore une fois mon père m'a aidé de la moitié. Je l'emmenais voir des fermes expérimentales. Il était vieux mais ça l'intéressait plus que beaucoup de jeunes.

Avec les automobiles, les copains s'agrandissaient.

On allait tous les samedis à Chartres, on se rencontrait. On était arrivé à former un groupe d'amis : Paul Richer et Charles Dreux de la Bourdinière, Paul Chaboche à Luplanté, Alcide Manceau à Meslay-le-Grenet, Berland à Boisvillette et moi à Saint-Loup. Tous, on s'intéressait à la nouvelle culture. Ça changeait d'avant la guerre, quand les gens n'étaient amis qu'avec le monde du village.

J'employais trois ou quatre compagnons régulièrement. J'étais déjà loin de " l'attelée jaune " de mes quatorze ans. Quant à mon nouveau compte à la Régionale, le voilà pour ces premières années, avec les hauts et les bas.

1927. Solde : six mille quatre cent soixante-quinze francs.

1928. Solde : cinq mille cent quatre-vingts francs.

1929. Solde : onze mille quatre cent huit francs.

1930. Solde : seize mille six cent douze francs.

1931. Solde : neuf mille six cent sept francs.

En 1931, quand j'ai voulu payer mes impôts avec un chèque, le maire m'a dit :

— Non, ça marche pas, on paie qu'avec de l'argent.

Il avait jamais vu de carnet de chèques. Heureusement que le percepteur était plus au courant.

Tellement qu'il les faisait marcher, Paul Richer a usé deux tracteurs en trois ans. En 1931, il a acheté un tracteur à chenilles qui tirait cinq socs. C'était un McCormick de soixante-quinze mille francs : plus cher qu'une ferme ! Cette fois encore, les gens l'ont cru fou. Le chenille a été livré le jour de la Saint-Jean. La veille, les trois charretiers de Richer ont emmené ses neuf chevaux chez le marchand et quand ils sont revenus, il leur a donné congé.

Il avait vendu ses vaches et ses moutons, il se débarrassait de tous les animaux de sa ferme. Moi, j'aimais trop les bêtes.

9

Le chapitre d'Alice

Jamais j'ai empêché 'Phraïm de faire ce qu'il a voulu. Dans les histoires de champs, je lui ai toujours fait confiance ; c'était son affaire.

Moi, je m'occupais de la maison, de nos trois filles : Aurore, Éliane et Janine. Je tenais la basse-cour où j'ai élevé jusqu'à deux cents poules, des canards et des dindes. Je soignais les vaches.

L'été, je me levais à cinq heures du matin et l'hiver, peut-être à cinq heures et demie. J'allais d'abord traire les vaches. Aurore voulait pas rester toute seule et elle venait me rejoindre dans l'étable. Je l'entortillais dans sa chemise de nuit et je la couchais dans la paille. Je nettoyais les vaches et puis je les trayais.

Après c'était le déjeuner des gosses, leur café au lait et la vaisselle.

Aurore a jamais pu s'adapter comme il faut avec ses deux sœurs. Éliane et Janine jouaient, mais Aurore était à part. A trois, ça voulait plus aller.

Aurore était plus calme, plutôt pas manuelle ; elle aimait lire. Au début, je l'ai aidée un peu avec ses devoirs d'école ; mais ensuite c'est elle qui a montré à Éliane, et puis Éliane qui a montré à Janine. Quand Janine était petite, ses deux sœurs lui avaient tant relu l'Almanach Vermot qu'elle savait par cœur, avant de pouvoir lire, ce qu'il y avait écrit en-dessous de toutes les images.

Aurore s'en est allée de bonne heure, à dix ans et demi. Elle est allée à l'école de Chartres, puisque déjà elle rêvait d'être institutrice. Là, elle habitait chez sa tante mais elle revenait tous les huit jours. Ça lui plaisait, elle était savante, grâce à Mme Crespeau, la maitresse de Saint-Loup.

A ce moment-là, c'était pas la mode pour les filles de la campagne d'aller à l'école à Chartres. Je crois bien qu'Aurore a été la première de Saint-Loup. Au début, la pauvre a eu du mal. La directrice a fait venir 'Phraïm à la Saint-André et elle lui a fait le reproche qu'Aurore était timide. 'Phraïm s'est fâché :

— C'est pas un défaut.

La directrice a dit qu'Aurore ne comprenait pas ; elle parlait de la renvoyer. Après, ça a été, Aurore a eu de bonnes notes.

Dans leur lit, le matin, je donnais à Janine et Éliane des ciseaux. Janine découpait les images des catalogues de magasin. Éliane faisait des robes pour ses poupées, elle habillait aussi les chats et les chiens. Des fois, elle coupait un peu les cheveux de sa sœur.

Éliane a élevé une agnelle au biberon qui s'appelait Sophie. Elle suivait Éliane comme un chien, entrait dans la maison et mangeait du chocolat et des friandises. Le soir, quand on portait sa soupe au berger dans les champs, Sophie venait avec nous. Mais si on la mettait dans le parc avec les autres brebis, elle voulait pas rester, elle avait vite fait de passer la clôture.

Il y a eu un drame, Sophie s'est tuée. Elle est montée dans une voiture d'herbe ; elle a eu peur et en sautant elle s'est piquée la fourche dans le cœur. Cette bête-là, personne a voulu en manger.

Janine avait son pigeon, un petit pigeon bleu tombé du nid qu'elle avait élevé. Il l'accompagnait dans les champs, partout. Il allait à l'école avec elle et à quatre heures il allait l'attendre pour la sortie.

Bien sûr, les filles ont fait leur première communion. J'allais à la messe les jours de fête, pour les Rameaux, Pâques, la Toussaint, mais guère le dimanche. Ici, il n'y a jamais eu beaucoup de monde à la messe, même du temps de ma mère.

Avec mes trois filles, 'Phraïm, mon père, mon frère Marius, quatre ou cinq compagnons, on arrivait à être une douzaine à table. Je prenais mon ravitaillement à l'épicerie de Saint-Loup, mais presque tout ce qu'on mangeait venait de la ferme : le cochon, les légumes, les pommes de terre. Je faisais du fromage blanc. Une fois par semaine, on tuait un lapin et tous les vendredis, j'achetais des harengs frais. Pour les fêtes, je cuisais un poulet et le mardi gras, je préparais des roussettes, comme des beignets.

On donnait de la farine au boulanger et il rapportait du pain. En lieu de tenir des comptes, il taillait des coches dans un petit bout de bois et quand il avait plus de farine, on lui en donnait d'autre.

En ce temps-là, comme on dînait à onze heures et on soupait à huit heures, les hommes mangeaient dans l'après-midi. Je préparais leur goûter à quatre heures et j'avais peur d'en mettre pas assez, ou bien de trop.

Souvent j'emmenais sa soupe chaude au berger dans les champs. J'allais à pied parce que j'ai jamais su aller à vélo.

Le soir, quand il faisait chaud, au lieu de souper dans la cuisine, les compagnons sortaient les tables dans la cour, on mangeait à la porte de la maison et c'était gai.

J'ai toujours fait la lessive de la famille et tous les draps, y compris ceux des compagnons. Je prenais trois matins : un pour mettre tremper, un pour faire bouillir, et le surlendemain j'emmenais mon linge sur une brouette pour le rincer au lavoir. Le dimanche après-midi, je repassais. Ma belle-mère venait ; on causait et j'étais toujours en train de repasser.

Dans les beaux jours, j'aidais aux champs, on échardonnait, on fanait, on moissonnait. Ni dans la journée, ni dans la semaine, je rêvais de m'asseoir ou d'aller chez les voisines. Henriette Pommeret venait chercher son lait, et Justine aussi, l'autre voisine. Elles me causaient un peu pendant que je trayais les vaches, mais j'avais guère le temps de m'arrêter pour bavarder.

Une fois par an, un cinéma ambulant passait à Saint-Loup. On allait le voir à l'école.

10

La crise

A la moisson, on commençait par emmagasiner les gerbes dans le hangar ; avec le reste, je construisais dans les champs des meules carrées, l'une au bout de l'autre. Entassée comme ça, ma récolte faisait bien cent mètres de long et je m'arrangeais pour faire des meules de cent quintaux.

En gerbe, le blé se gardait bien ; mais dans ce temps-là, on n'avait pas encore l'équipement pour conserver le grain. On battait le blé au fur et à mesure des besoins et on le livrait tout de suite. Les battages duraient plusieurs mois, jusqu'au printemps.

En 1932, voilà la crise. Le blé tombe de cent cinquante à cent francs. Plus la peine de battre, puisque je pouvais plus vendre !

Il restait encore un peu le commerce de l'orge et de l'avoine, mais j'avais des bêtes, et c'est mes chevaux, mes moutons et mes cochons qui les consommaient.

La crise n'a pas d'abord touché la viande, mais bientôt tout a suivi : la boucherie, les betteraves, les haricots, toutes les graines. On a gardé de la graine de betterave deux ans dans le grenier sans arriver à la vendre. Une année elle valait cent sous, trois francs l'autre, et pour finir, les marchands ne payaient même pas ; ils étaient tous malheureux. Au début on ne croyait pas que la crise durerait si longtemps... On pensait qu'il fallait espérer. Et ça continuait. Les maisons de semence diminuaient les contrats, ce qui les empêchait pas de faire faillite : plus de contrat du tout.

Plus d'argent ! Je faisais plus d'argent ! A peine pour vivre. Pendant quatre ou cinq ans, j'ai économisé sur toutes les manières sans mettre un sou de côté et en travaillant tant que ça pouvait.

Fallait quand même payer la location des terres, le percepteur, le matériel, quatre mille francs par an au bourrelier et bien autant au maréchal-ferrant.

Il y en a qui empruntaient. Moi, c'était pas mon genre ; c'est pas le tout, après, faut rendre. J'ai voulu me débrouiller autrement. Fallait passer le chaos. Je voyais bien que ça durerait pas toujours. C'est comme un gars qui manque de se noyer, s'il a traversé la rivière, après ça marche.

Pas de sous pour payer le boulanger ! Il avait promis que je le payerai avec du blé, mais bientôt il en a plus voulu. Alors, on mangeait du pain fait avec le blé à d'autres, pendant que le mien restait en meules. Je trouvais ça drôle. Je me suis fâché et j'ai réparé le four de la ferme.

A Saint-Avit-les-Guespières, un vieux meunier m'a fait de la farine blanche avec mon blé. Mes parents avaient cuit le pain, mais je ne me souvenais plus très bien. J'ai été chez Manceau, de Meslay-le-Grenet, voir deux trois fois sa méthode, parce que chez lui, ils s'étaient jamais arrêtés de faire le pain. J'ai acheté des paniers exprès.

Manceau est venu un matin, il a chauffé le four et il a fait cuire.

Comme de fait, quelques jours après, je chauffe mon four, mais j'avais pas le coup et je le chauffe trop. Un peu plus et je mettais le feu à la baraque. Comme Manceau et Chaboche savaient que ce jour-là j'allais cuire, ils se disent :

— On va voir comment 'Phraïm se démerde.

Quand je les ai vus arriver dans la cour ça m'a pas fait plaisir. On va quand même boire l'apéritif au café. On revient. J'avais pour commis un ancien marin qu'on appelait Zézékel et qui avait pas mal roulé sa bosse. Il me dit :

— Patron, c'est pas du pain que vous faites, c'est des Sénégalais !

Tous mes pains étaient alignés sur la table, noirs comme des nègres.

Après je m'y suis mieux pris. On cuisait tous les quatre, cinq jours, un beau pain blanc. Quand la guerre est venue, on a continué. Le matin, autour de neuf heures, je chauffais le four. Alice faisait la galette, " la fouée ", une pâte feuilletée avec de la farine, du saindoux, du lait et de la crème. Je mettais la fouée au four cinq, six minutes. Si elle était à point, ça voulait dire qu'on pouvait mettre le pain.

Le pain retiré, Alice mettait des haricots avec un morceau de porc dans une terrine et ça cuisait doucement pour le souper du soir. Quand elle voulait faire une fantaisie, elle mettait aussi des pommes, chacune enveloppée de pâte.

Fallait payer le maréchal deux fois par an. J'avais six chevaux à lui mener, chacun une fois par mois et au bout de l'année, ça me coûtait plus de deux mille francs.

Pour ce prix-là, j'ai acheté une forge portative et tout le matériel à un ancien maréchal du village. J'avais toujours tenu les pieds de mes chevaux quand on les ferrait et à force de voir, je m'étais dit : " Je le ferai bien. " Le vieux maréchal m'a donné deux trois petites leçons et comme j'étais assez adroit, j'ai réussi aussi bien que les autres.

Je ferrais mes chevaux avec des fers d'occasion. J'avais un copain qui tenait l'équarrissage à Bailleau-le-Pin et qui me donnait les fers des chevaux morts.

C'est pas pour ça que j'étais mal avec le maréchal de Saint-Loup. Je lui avais dit :

— Si je te faisais travailler et que je te payais pas, tu serais encore moins content.

Pour entretenir les harnais de mes six chevaux je payais près de trois mille francs par an. Comme j'étais parti dans l'économie, j'ai trouvé un vieil ouvrier bourrelier en chômage. Il habitait Épeautrolles. J'ai été le voir :

— Faut que vous veniez. Vous allez travailler pour moi.

— Je veux bien. J'ai tous les outils mais je vous préviens que j'ai pas de cuir.

Il fallait donc que j'en trouve. Mais dans toutes les maisons de cuir, ils refusaient de m'en vendre ; ils gardaient ça pour les bourreliers. Je vais à Chartres, partout ; aussitôt qu'ils savaient que j'étais un particulier, non !

J'avais un copain de la Bourdinière — on était allé au catéchisme ensemble — qui s'était installé bourrelier dans la Beauce. Je lui écris : " Trouve-moi une peau de vache ou deux. Je te payerai le prix. "

Il me répond une lettre, que lui mangeait pas de ce pain-là, qu'il était avec ses copains, que je continue à m'adresser à mon bourrelier, tout un machin : une lettre de leçon de morale.

Un dimanche soir, je rencontre ce bourrelier-là au café de Saint-Loup. Je jouais à la manille sur une table, lui sur une autre. De sa table, il se met à me faire la morale pour que tout le monde entende. Il racontait que je devais de l'argent au bourrelier, et d'autres agaceries. J'aime pas encore tant ça et je lui dis :

— Dis donc, tu te rappelles bien que dans le temps, quand tu venais au catéchisme, je t'ai foutu des raclées ? Eh bien, si tu veux sortir dehors, je vais encore t'en foutre une.

J'étais décidé. Mais c'est pas ça qui m'a donné du cuir.

Pour finir c'est mon copain Manceau, toujours lui qui m'aidait quand j'étais emmerdé, qui m'a dit :

— Je vais t'en trouver.

Il a été en chercher dans une tannerie à Nogent-le-Rotrou : deux peaux pour moi et deux pour lui. Point cher ! Là encore, on voyait que les marchands nous estampaient.

J'ai mis les deux peaux au frais dans la cave. Mon vieux bonhomme est venu d'Épeautrolles et il m'a entretenu mes harnais, il m'en a fait des neufs. Ça me coûtait rien à côté d'avant et ça a duré tant que j'ai eu des chevaux.

Le bourrelier d'ici continuait à entretenir les toiles de mes faucheuses-lieuses. On s'était pas fâché pour ça.

Avec cette crise, on avait des syndicats de toutes sortes :
des syndicats de betteraves, de blé, de lin [1]. On ne voulait
plus payer les impôts et on a fait la grève, moi comme
tout le monde. Mais plus la date approchait, plus les gars
payaient. La date passe, j'ai deux pour cent d'amende. Je
vais trouver le Trésorier-payeur général qui me dit :

— Tout le monde a payé.

Même ceux qui nous avaient conseillé contre les impôts !
Je restais tout seul avec ma grève.

On recevait *la Voix de la Terre*. C'était le journal du
Parti agraire et ça faisait la critique. Un mouvement de
gauche. La droite marchait pas en Eure-et-Loir. D'Or-
gères, avec ses Chemises vertes, c'était bon pour les gros
propriétaires, des patrons fils de patrons. Nous, on était
d'anciens fils de charretiers, d'anciens ouvriers et on
voulait la gauche [2]. Pas celle des communistes, mais celle
des socialistes et des radicaux.

Tous les samedis, il y avait des réunions. On était
convoqué par *la Voix de la Terre* : " Samedi, Chartres à
telle heure. " Des cultivateurs faisaient des discours, les
plus malins sans doute. Tout ce que je savais faire, c'était
gueuler en loin ; bon pour le bruit, mais pas pour les

1. En réalité, le développement des syndicats, ou mieux des associations professionnelles spécialisées dans telle ou telle production
agricole est antérieur à la crise. Il date de l'immédiate après-guerre
et il est lié au processus de spécialisation de l'agriculture nationale.
Mais l'activité de ces associations a été stimulée par la crise.

2. Grenadou a peut-être perçu le Parti organisé comme un mouvement de gauche, par opposition aux Chemises Vertes de Dorgères
mais ce parti qui avait l'ambition de rassembler tous les paysans
sur le thème de l'unité terrienne développait en fait une idéologie
de droite. Il ne parvint d'ailleurs pas à s'imposer.

commentaires. J'écoutais et je suivais les commandements.

Les orateurs montaient au premier étage du Palais de Justice et ils nous haranguaient par la fenêtre. Ils discutaient sur le blé, sur toute la crise. La place des Halles était noire de monde, et des bonnes femmes, et des bonshommes ! On était un petit peu en révolution.

On envoyait des délégations de trois ou quatre porter un genre de pétition au préfet pour qu'il communique ça plus loin.

Un samedi, en janvier 33, le préfet n'a pas voulu recevoir la délégation. L'orateur nous dit :

— Puisque le préfet refuse de la voir, on va accompagner nos camarades. Tout le monde à la préfecture !

De la place des Halles on prend la rue de la Tonnellerie, on traverse la place Marceau, on descend la rue Sainte-Même. Tout le monde allait calmement. On trouve les grilles de la préfecture fermées, un flic ou deux de l'autre côté.

D'un seul coup, je vois la foule qui secouait la grille. Je me dis : " Quoi que c'est qu'ils veulent faire là ? Ça tient pas debout. " Je croyais pas le monde si fort. Voilà les grilles qui s'ouvrent. On entre. Moi, j'avais jamais été à la préfecture. Je regarde tout ça. Je pensais que le préfet allait nous causer par la fenêtre et que tout s'arrangerait.

Sans doute que ça s'impatiente. Le monde pousse vers une porte et on entre là-dedans. Je me trouvais quasiment dans les premiers. Un grand corridor, bien long, des portes à gauche qui s'ouvraient et qui se fermaient, des têtes qui nous regardaient ; c'était les ouvriers de la préfecture, les fonctionnaires, quoi.

Au bout, c'était le préfet, Monsieur Jouve. Faut croire

que tout le monde voulait voir le préfet. On se poussait
dans son bureau et il en rentrait d'autres. Les gars grimpaient sur les bureaux, sur les meubles, sur les radiateurs.
Peut-être qu'ils savaient pas trop bien quoi dire au préfet.
Ils se mettent à l'engueuler ! A l'insulter ! Monsieur Jouve
était blanc comme un linge. Il hochait de la tête et il répondait " oui ".

C'est pas le tout. Il fallait que ceux qui avaient commencé
ce mouvement-là parlent au préfet. Ils sont passés par-
dessus la tête des bonshommes et des bonnes femmes et
ils ont atterri devant le bureau :

— Monsieur le Préfet, vous êtes prisonnier.

— Oui, oui.

— Vous allez téléphoner au ministère de l'Intérieur
que vous êtes prisonnier des cultivateurs et que vous êtes
un con.

Ils lui ont fait écrire sur une feuille tout ce que les
paysans voulaient : moins d'impôts, le prix du blé, des
écoles d'agriculture et toutes sortes de machins. Pendant
ce temps-là, des gars barbotaient des bricoles, des affaires
pendues au mur, des espèces de tableaux. A côté de moi,
je vois un type de Meslay-le-Vidamé, il empochait le
stylo du préfet. Je lui dis :

— Remets ça, voyons. Ça la fout mal.

Je pensais : " Sûrement que ça va pas s'arranger si ça
finit en pillage. "

Alors tout le monde s'est en allé doucement. De temps
en temps on entendait un carreau qui descendait. Tu sais,
il y en a qui se plaisent que dans le mal.

Le lendemain, on racontait ça au village. C'était un
drôle de chef-d'œuvre. Franchement, ça n'avait pas été

fait pour le faire. C'est l'ensemble. Le monde a poussé,
les grilles ont cassé. Si seulement ce préfet-là avait causé,
jamais on serait allé si loin.

Total, le préfet a changé de département.

Mais c'était pas fini. Quelques mois après, en mars,
on manifestait à Chartres. Toujours un samedi. L'après-
midi, les commerçants fermaient leur boutique, soi-disant
par sympathie pour les cultivateurs, sauf un marchand de
souliers de la place des Halles qui se foutait pas mal de ça
et qui fermait jamais sa porte.

Un genre de rassemblement se forme devant son magasin. D'aucuns se mettent à l'engueuler et à l'incendier :

— Ferme ta boutique. Salaud ! Vessie !

Et patati et pata l'autre.

Ça devait être préparé d'avance. Là-dedans il s'est
fourré des perturbateurs. Il y en avait un avec une pierre
dans sa poche : Crac ! A travers la vitrine.

D'un seul coup, ça débouche de par toutes les rues, les
gardes mobiles à cheval. Ils foncent dans la foule. Ils
sautent par-dessus les bonnes femmes. Sabre au clair. A
coups de crosse. Quand les chevaux voulaient plus
avancer, ils les faisaient reculer dans le monde. C'est
l'émeute !

Des gars attrapent les cavaliers, d'autres coupent les
sangles avec leur couteau de poche. Quand ils sont par
terre, on tape dessus à les tuer. Des chevaux se promènent
sans cavalier. Il y a un garde mobile qui a coupé le nez d'un
gars d'un coup de sabre. Les gens courent dans les jardins,
les gendarmes derrière. Pendant deux heures, c'est la
guerre.

Plus de raison que ça s'arrête. Heureusement, l'adjoint

au maire, monsieur Faucheux, s'est montré à la fenêtre du syndicat. C'était un industriel, peut-être de la droite, mais un bon bonhomme. En tout cas, il connaissait le tempérament beauceron. Il a dit à la police :

— Allez-vous-en ! Je réponds de tout.

La police s'est en allée, c'était fini. Plus de flics, plus d'émeute, terminée la bagarre.

Dans les petites villes, dans les villages, à Saint-Loup même, des marchands étaient ruinés par la crise.

Presque chaque village avait son café, son épicier, des gars comme Achille Pommeret qui achetaient du grain aux cultivateurs comme moi pour le vendre aux grosses maisons. Quand elles ont fait faillite, elles ont pas payé ces petits intermédiaires. Ces pauvres gars-là, comme ils habitaient le village et comme l'honnêteté était encore à la mode, ils se saignaient aux quatre veines pour régler aux cultivateurs le grain livré à crédit et qui leur serait jamais plus payé.

Donc, à Saint-Loup, notre marchand a pas fait ses affaires mais il a quand même vendu son fonds de commerce à M... de Bailleau-le-Pin.

Tous les lundis après midi, M... passait au village. Les cultivateurs venaient lui donner leur blé à ses prix de misère. Le journal du syndicat nous disait pourtant de ne pas vendre : " Gardez votre blé. " Ces pauvres gars, ils avaient beau faire partie du syndicat, ils savaient pas comprendre. Moi je vendais pas ; j'étais contre et j'allais chaque lundi demander son prix à M... Devant tous les autres, je disais :

— Je vends pas à ce prix-là. Je vais stocker [1].

J'encourageais les autres à en faire autant.

Ma petite propagande plaisait pas à M... A Saint-Loup le blé était descendu jusqu'à soixante francs, mais au printemps 36, c'était remonté un peu et M... le payait quatre-vingt-deux francs.

— Faut que ce soit livré demain.

Tous les gars marchaient. Tous les gars livraient sauf moi. En place j'ai porté une partie de mon blé au syndicat.

Un lundi, M... me demande bien fort, quand on se parlait c'était toujours pour les autres :

— Combien vous avez touché ?

Je lui réponds un bon coup :

— J'en sais rien. Quand je le saurai, je vous le dirai. Mais j'ai touché quatre-vingts francs d'acompte, puisque vous voulez être au courant.

Des semaines passent. Tous les lundis c'était la même scène. M... me cherchait, et moi je tenais bon jusqu'au jour où je retouche du syndicat un acompte de vingt francs par quintal. Le lundi arrive :

— Monsieur M..., je vais vous renseigner. L'autre jour vous avez acheté du blé quatre-vingt-deux francs. Moi j'avais touché quatre-vingts francs d'acompte et cette semaine j'ai retouché vingt balles. Allez-vous redonner dix-huit francs aux gars ?

---

1. La résistance à la baisse des prix par le refus de vendre n'était possible qu'à deux conditions : avoir une trésorerie suffisante et disposer de moyens de stockage. Ce n'était pas le cas pour les petits producteurs. L'attitude de Grenadou a donc une signification sociale, en même temps qu'elle exprime sa volonté obstinée de ne pas céder devant une conjoncture défavorable.

Devant tous ses clients ! Tu vois la prise de bec. Là, on était fâché pour de bon.

Eh bien ! quelques années plus tard, M... devient directeur du syndicat de S... Un samedi je le rencontre à Chartres sur la place des Halles. Il essaie de me repiquer pour me prendre à son syndicat et me retirer du mien. Je lui dis :

— Écoutez, Monsieur, mordu d'un chien ou bien d'une chienne, c'est une bête à quatre pattes. Je reste où je suis.

Je me souviens qu'en 32 ou 33, voilà la crise qui vient sur les cochons. J'en avais une vingtaine à l'engrais, ils ne valaient plus que trois francs le kilo vif, au lieu de sept ou huit francs. Des cochons de cent kilos ! Là, je mangeais de l'argent !

Qu'est-ce que je dois faire ? Je continue ? Je vends ? C'est que j'allais prendre un drôle de bouillon... Tant pis, je monte dans le train pour Paris, je vais voir les marchands à La Villette. On cause, on boit un coup. Ils me disent :

— Attendez.

J'ai attendu un mois ou deux ; comme de fait, les prix sont remontés. Je m'étais encore défendu, là.

A Saint-Loup, on était des tribalétistes. Notre député, Henri Tribalet, un gars extraordinaire, venait du côté d'Illiers. Né chez un petit bistrot, il était devenu cultivateur. Il avait fait la guerre aux zouaves et même été blessé.

Tribalet était un radical. Ami de ses électeu... lui écrivait, on lui demandait, il répondait. Il était h... avec nous, comme nous sommes là tous les deux.

Quand Tribalet passait aux élections, on partait à Chartres dans nos autos et on lui faisait un triomphe sur nos épaules. On buvait le champagne, on en faisait toute une affaire.

Les syndicats construisaient des silos et stockaient le grain. Ça leur permettait de vendre quand ils voulaient et au meilleur prix.

Et puis, en 36, l'Office du Blé nous a sauvés. Tribalet et le sénateur Jacques Benoit avaient poussé cette loi-là à Paris. Ça voulait dire que le gouvernement fixait le prix et c'est de là qu'on est reparti : cent trente-neuf francs le quintal.

N'empêche qu'avec la crise, pas mal de cultivateurs avaient abandonné leur ferme, à Saint-Loup comme ailleurs. Il y en a deux qui m'ont cédé leurs champs : Chardonneau une quinzaine d'hectares et Rousseau une douzaine.

Comme ça, j'augmentais toujours. J'étais pas loin de la centaine d'hectares et la crise était passée.

En 36, j'ai acheté une Ford douze chevaux tout acier, un vrai tracteur, derrière laquelle je traînais une vachère. Avec ça j'allais en Bretagne chercher des poulains.

J'avais deux compagnons qui me binaient mes betteraves, deux Bretons. L'un d'eux s'appelait l'Ancien, c'est lui qui m'avait parlé des chevaux des Côtes-du-Nord.

Chaque année après la moisson, je le ramenais chez lui avec ma Ford. On arrivait pour la fête. Dans les bistrots, on avait une bolée de cidre pour trois sous et le pain et le beurre à volonté. La fête durait trois jours.

Le premier jour, les Bretons descendaient tous les Saints de l'église et les promenaient dans les montagnes, la nuit avec des lampions.

Il y avait bal le deuxième jour. Le troisième, c'était le marché aux chevaux près d'une chapelle construite sur la côte la plus haute du département. La Bretonne et puis le Breton venaient montés sur la jument, le poulain suivait derrière ; il tétait encore.

J'y suis retourné bien des fois. Le premier poulain que j'ai acheté en Bretagne valait mille francs et je l'ai appelé l'Ancien.

Quand j'ai eu ma Ford, j'ai transformé ma B2 en camionnette pour livrer des moutons. Un boucher de Chartres m'achetait des agneaux gras toutes les semaines, mais si j'en avais de reste, ou si la vente était mauvaise, j'envoyais mes moutons à Paris. Un camion passait le dimanche qui en chargeait trente ou quarante pour La Villette.

Le lundi matin, je prenais le train à Chartres avec les maquignons. Aussitôt arrivés dans le compartiment, ces marchands-là se mettaient à jouer aux sous. Pas moi, bien sûr, parce que j'aurais mangé la bricole. Mais ces marchands de veaux et de moutons, ils sortaient un tapis avec des poches dans les coins, et les cartes. Je sais pas ce qu'ils jouaient, mais il y en avait qui gagnaient quinze mille francs entre Chartres et Paris, et d'autres qui les perdaient.

Arrivés à Montparnasse, on prenait un taxi. Je montais

dans le devant. Quatre marchands derrière et ils continuaient à jouer jusqu'à La Villette. Ça me faisait mal au ventre de les voir. Je me disais : " Ils gagnent donc de l'argent facilement, ces gars-là ! "

Le marché sonnait à onze heures. Faut être habitué là-dedans. Manceau causait avec les chevillards et je vendais au mieux, trois cents à trois cent quarante francs la tête. Des moutons ou des vaches qui sont rentrés dans le marché, plus question de les ressortir. Les chevillards le savent bien et il faut un rude gars comme Manceau pour se défendre.

Marché conclu, on se faisait payer : le pognon dans la poche. Ensuite, un gueuleton au Cochon d'Or. Je vous garantis que ça boulottait. On retrouvait d'autres cultivateurs, d'autres marchands.

Ensuite on allait se faire raser chez le coiffeur, et en attendant le train, tout le monde chez Denise. C'était une maison où les gars se soignaient pas mal. Ils buvaient du champagne. Des filles les accueillaient :

— Ah, vous voilà, les marchands de bestiaux !

Quand les maquignons étaient accompagnés d'un cultivateur, s'ils voyaient que le paysan avait peur des filles, ils faisaient signe à une blonde qu'elle aille s'asseoir sur ses genoux, le bécoter un peu. Plus d'un s'est trouvé embêté d'être là, à amuser la galerie, couvert de rouge aux lèvres.

Et puis le train ! Sitôt dans le compartiment, les cartes et le tapis sortaient. Encore les billets de mille, et pas de cadeaux. Les sous s'amassaient. Ils misaient, ils misaient et d'un seul coup, crac ! le plus hardi ramassait tout.

11

La Deuxième Guerre

En septembre 38 j'étais en Bretagne avec l'Ancien, la guerre semblait prête à éclater et je m'en suis revenu précipitamment à Saint-Loup. Je voyais ça sur les journaux et je me disais : " C'est drôle, on a fait celle-là de 14 et on nous disait que c'était la dernière des dernières, et puis ils sont encore en train de parler de ces machins-là. " Je voulais pas croire que ça allait revenir.

Pourtant, en 39, voilà que ça sonne. Je m'en viens des champs et je vois l'affiche des gendarmes sur la grange à Paul Launay. C'était pas comme l'autre mobilisation. Le monde était moins guerrier.

Les gars partent, classe après classe. Marius s'en va à son tour dans l'artillerie. Ensuite c'est la réquisition des chevaux. J'avais un percheron d'un mètre soixante-quinze, trop grand pour l'armée. Quant à mes Bretons, ils étaient entiers et ça déplaisait aux militaires ; on leur menait que les chevaux hongres. Je l'avais fait un peu exprès.

Ceux dont les chevaux étaient bons pour le service les emmènent à Illiers. On a vite entendu dire que ça faisait comme en 14 et que ces chevaux commençaient à mourir. Il y en a qui buvaient pas, d'autres qui étaient mal soignés, une vendange indescriptible.

La main-d'œuvre se faisait rare. Avec leur guerre civile, des Espagnols étaient venus qu'on avait mis dans des camps de concentration. Au mois de septembre, des entrepreneurs de batterie étaient allés en chercher pour remplacer les mobilisés ; entre autres, un entrepreneur de Dammarie. Quand le mois de décembre est arrivé, qu'il y a eu moins d'ouvrage à la batteuse, j'ai été avec Richer embaucher quatre Espagnols.

Les deux miens s'appelaient Édouard et Joseph, des frères. J'ai mis Édouard charretier, puisqu'il aimait les chevaux. Joseph faisait le calvanier, l'homme à tout faire. Ils se quittaient jamais ; toujours ensemble, le travail terminé : ils couchaient dans l'écurie, ils faisaient leur lessive, ils écrivaient à leur femme. C'était des gars de quarante ans, pères de famille. L'un d'eux avait dirigé une coopérative ; il était conseiller municipal dans son village. L'autre avait de la vigne. Leur guerre les avait amenés là.

Ils causaient pas bien français mais ils se sont habitués. C'était des gars honnêtes, travailleurs, sobres. Je les regrette encore. Ils sont restés huit ans à la maison et jamais je ne leur ai dit une seule fois plus haut que leur nom.

L'hiver se passe. L'armée me réquisitionne mes haricots. Au printemps, j'ai pensé qu'il y aurait une crise sur la nourriture ; je me souvenais de 14. L'idée m'est venue de faire quelques hectares de carottes rouges.

En attendant, c'était à peine la guerre. Les soldats se battaient point. Ils venaient en permission ; ils nous racontaient un tas d'histoires qu'ils vivaient dans des sapes, qu'ils jouaient aux cartes ; des Allemands se promenaient au-dessus et leur disaient rien. Je trouvais ça un peu dur. Pas de grenades sur la gueule ? Non, tout ça marchait bien.

Seulement au 10 mai, quand Hitler a déclenché le machin, les gars avaient jamais entendu un coup de canon et ils se sont sauvés. Si ça avait été nous, on aurait couru la même chose.

Les journaux et la radio nous apprenaient ça. Les gens du Nord commençaient à passer avec leurs chevaux et leurs chars à banc. Aussi des détachements de soldats avec des autos. Ils campaient sur la place :

— Nous voilà ici, mais tout le monde est tué, tout le monde se sauve.

Je causais à tout ça.

Un ordre arrive ; la gendarmerie nous convoque un dimanche après-midi :

— Vous êtes requis civils.

— Ah ? Bon !

— Vous allez prendre votre fusil de chasse et monter la garde contre les parachutistes et les espions.

Ils nous donnent des tours de garde à la Bourdinière. Ceux qui étaient gradés dans l'armée restent avec les gendarmes pour faire un conseil de guerre. Moi, je rentre à la maison.

Deux jours après, je suis de garde avec Perrier, de Chenonville. L'après-midi se passe. On va souper chacun notre tour, on garde la nuit. Comme le jour se levait tôt, on fait un petit tour dans les champs voir si on tuerait pas un lièvre. Après déjeuner, les gendarmes s'amènent :

— Faites une tranchée.

Ils nous donnent une pioche et une pelle. Avec Perrier on piochait, on pellanchait chacun notre tour. Les gendarmes nous regardaient et les gradés civils, parce que déjà ceux-là ils travaillaient pas. Même qu'ils discutaient avec les gendarmes pour mettre un galon sur leur veste.

Ils causaient de démonter les rails du tramway, d'amener des vieilles charrues pour faire un barrage aux Allemands.

— Ça arrêtera les tanks.

J'avais mon fusil et une poignée de cartouches de huit et je me disais : " J'aimerais bien être loin quand ils viendront, leurs tanks. " Avec Perrier, on a été jusqu'à midi pour faire notre tranchée et ça a été la fin de notre mobilisation.

Des aviateurs se sont installés à Saint-Loup, sans avions mais avec des camions. Forcément, ils fréquentaient le bistrot et je m'y suis trouvé avec leur capitaine, le 10 juin, comme la radio annonce : " L'Italie déclare la guerre à la France. " Ce capitaine, il avait la même médaille italienne que moi : la Fatigue. Quand il entend ça, il arrache sa médaille. Je lui dis :

— A la bonne heure.

Le lendemain, un avion allemand vient tourner au-dessus de la Bourdinière. Les Français lui envoient tout de même deux, trois obus qui faisaient des petits ballons blancs dans le ciel. Des bonnes gens téléphonent à la gendarmerie :

— Les parachutistes !

De Luplanté, d'Ermenonville, des Bordes, les hommes arrivent pour cerner les parachutistes. Ils avaient chargé les fusils en descendant de camion, un coup part et manque couper le pied à un gars.

Les aviateurs étaient venus avec nous. J'entends un lieutenant qui leur demande :

— Où sont vos armes ?

— On les a laissées là-bas, dans le Nord...

Bref, les Allemands avançaient toujours. Partout, l'ordre arrivait d'enlever les barrages comme ceux de la Bourdinière, pour que les Allemands les voient pas. Les évacués suffisaient bien à boucher les routes. Il en couchait dans toutes les granges. On leur donnait un peu à manger. Après les réfugiés du Nord : ceux de Paris, de Dreux, bientôt Chartres. On voyait que notre tour approchait. Tribalet, notre député, se préparait à partir. Il y a que le Préfet, Monsieur Moulin [1], qui soit resté.

A moi de faire mes préparatifs. J'ai levé mon pognon à la Régionale, quatre-vingt-dix mille francs. J'ai acheté des bâches bleues et j'ai équipé mes voitures. On a chargé la literie, de l'avoine pour les chevaux, toutes sortes d'affaires. Nous voilà prêts à partir.

Pourquoi ? Parce qu'on voyait les autres. Ça nous entraînait, tous ces réfugiés qui passaient en camion,

1. Jean Moulin, préfet d'Eure-et-Loir. Résistant de la première heure, il fut le premier président du Conseil national de la Résistance, jusqu'à son arrestation près de Lyon en 1942.

en carriole, ou même à pied. Les Allemands bombardaient, deux, trois bombes par pays pour faire peur. A la Bour- dinière, une bombe a tué une demi-douzaine d'évacués qui sont enterrés dans le cimetière.

Et puis il y avait le souvenir de 18, de ces gens qu'on avait libérés après l'Armistice. Ça me disait rien de rester avec les Boches, j'avais vu comment ils traitaient le monde. On disait : " Ça va s'arrêter sur la Loire. "

— Alors, traversons la Loire, on verra bien.

Le 11 ou le 12 au soir, le maire vient me voir :

— Tribalet va partir. Vous pouvez évacuer.

Je voulais encore attendre. Mais Richer qui habitait sur la route, plus près des bombes que moi, il était plus pressé. Il s'amène avant minuit :

— Faut partir.

Je réveille mes commis, les parents, les amis. On finit de charger les carrioles et vers trois heures du matin, au petit jour, en route.

Il y avait ma mère et mon père de soixante-dix ans ; leur bonne, la mère de la bonne, la nièce de la bonne et le bébé de la nièce. Il y avait le père d'Alice à moitié paralysé. Il y avait Clément, sa femme et leurs deux filles ; Char- donneau, sa femme et sa fille ; Achille Pommeret, sa femme, ses deux garçons et sa belle-sœur. Mes deux Espagnols, mon berger et encore un autre commis. Il y avait Richer, sa femme et son fils André ; sa belle-sœur avec deux jeunes et un bébé ; deux commis de Richer avec leur femme et une petite fille. Enfin, Alice, Aurore, Éliane et Janine.

Quarante !

Sur la route de Luplanté, je m'arrête pour regarder la

caravane : quatre automobiles, mes six voitures avec les bâches bleues, chacune tirée par un cheval, le Lanz et le tracteur à chenilles de Richer, et pour finir la carriole à bourri.

Il y avait des voitures pour le monde, d'autres pour le matériel : la forge portative pour ferrer les chevaux en route, nos trois perruches bleues dans leur cage, des poules, des lapins.

Arrivé à Luplanté, le bourricot qui tirait au renard depuis Saint-Loup casse sa corde et part au galop à travers champs. Adieu l'âne !

Arrivée à Dangeau, la bonne à mon père qui menait un cheval fout la voiture dans le fossé. Dès Dangeau, nous voilà déjà foutus dans un fossé. Faut vider la voiture pour la sortir. Ah, on n'allait pas vite !

On loge avant Brou, au carrefour, dans la grande ferme où il y a un pigeonnier. En douze heures on avait fait dix-huit kilomètres. On avait même eu le temps d'écouter Paul Reynaud faire un discours. Il avait dit :

— Voilà ! On vaincra parce qu'on est les plus forts.

Pendant ce temps-là, les Allemands bombardaient Brou tant que ça pouvait. On s'est caché derrière des haies, et puis les femmes ont fait la cuisine et on a couché dans la grange, sur la paille.

Le lendemain matin, dès le petit jour, je prends la voiture et je reviens à Saint-Loup avec Richer. Dans sa cour, une auto brûlait. La maison était pleine d'évacués. Chez lui, il restait un cheval et des vaches qu'on a lâchés dans les champs. Je viens chez nous, je lâche aussi mes vaches, mes veaux, mes cochons, mes moutons : tous dans les moissons comme des bandits. J'entre dans la maison; j'étais là comme un étranger : des réfugiés partout et c'est tout juste s'ils m'engueulaient pas. L'horloge marchait encore. Je dis :

— Je suis le patron et je m'en vais.

Je détache les chiens. J'aurais pas dû mais je savais pas comment faire. J'aurais dû les emmener. Vous savez, les chiens et puis les moutons... Les chiens mangeaient les moutons, et puis ça y est.

On rejoint la caravane. Les chevaux partent devant. Avec nos autos, on attend les enfants qui dormaient, et en route! Pour traverser Brou, il y avait des réfugiés, à pas circuler ! La femme de Richer se perd avec sa voiture. Je prends du temps à la retrouver. On était à peine passé sous le pont, les avions allemands s'amènent pour bombarder. Des évacués, il y en avait tellement et de partout qu'on savait même pas qui ça tuait.

On couche à Saint-Agile. Ce soir-là, quelques-uns de mes gars commencent déjà à se picoler au café. Je leur fais l'itinéraire du lendemain et les chevaux partent au petit jour. Comme la veille, les autos attendent que les gosses soient réveillés.

Je vais voir Richer qui avait passé la nuit dans le village voisin, on causait. Les avions allemands arrivent et nous foutent des bombes sur la gueule. Sa femme, sa belle-sœur, ses nièces prennent peur.

— Allons, partons. Sauvons-nous ! Allons vite !

Je dis à Richer :

— Écoute, du train que je suis parti là, je crois pas que je vais pouvoir aller plus vite que les Allemands.

Des chevaux et des autos, ça marche pas ensemble. Partez donc avec vos autos. Je m'occuperai de ton chenille.

Et ils s'en vont. Je retrouve Alice et les filles qui m'attendaient.

J'étais prêt à démarrer ; un soldat s'arrête, un vétérinaire de l'armée. On bavarde. Il me dit :

— Vous êtes en train d'évacuer ?

— Ah, oui...

— Vous allez vous faire tuer. Pourquoi que vous restez pas chez vous ?

Il me faisait la morale et je pensais qu'il avait peut-être pas tort. Mais si je voulais faire demi-tour, fallait que je retrouve mes voitures. Je leur avais donné rendez-vous à Saint-Calais. J'y arrive en même temps que les avions boches. Je mets Alice et les filles à l'abri. Je cherche mes gars. Je les guette, couché dans un fossé ; je voulais pas qu'ils viennent se faire tuer là. Je suis resté cinq ou six heures à plat-ventre. Enfin, tout de même, une femme a passé qui avait vu mes bâches bleues à tel endroit. Les voilà retrouvés.

Ils avaient cassé la croûte. Ils étaient bien installés. Ils s'inquiétaient pas de moi. Je les aurais engueulés, mais j'ai rien dit.

Seulement, j'avais tellement la colère qu'au lieu de parler de retour j'ai dit : " En avant ! "

Cette nuit-là, on a couché dans une ferme près de Montoire. Alice a trouvé une vache à traire pour les petits. On soignait nos chevaux. Des avions passaient. Des soldats sortent de la grange où ils étaient cachés :

— Vous allez nous faire bombarder !

Des soldats... ils nous engueulaient... Avec Pommeret, on s'est avancé vers eux, ces soldats qui avaient peur des

jupes des bonnes femmes, et on les a fait sortir de là-dedans.
On leur aurait cassé la gueule.

J'avais dit :

— Demain on va faire demi-tour.

Toute la nuit mes deux Espagnols ont tenu conseil. Le
lendemain matin :

— Patron, nous on va s'en aller parce qu'on ne veut
pas être pris par des Allemands.

Je les ai payés et ils sont partis.

Nous, on fait demi-tour. On traverse un pays de bois.
On reste un jour dans une ferme. On savait plus rien. Des
soldats passaient, mais ils n'avaient plus d'armée. Je leur
disais de se mettre en civil, de venir avec nous, de se cacher
avec le monde.

Mes commis s'impatientaient :

— Qu'est-ce qu'on fait ? On s'en va ?

On repart. Mon auto était attachée derrière une carriole.
A un carrefour, les gendarmes me disent :

— C'est nous qui sommes en liaison avec les Allemands.
Ils arrivent. Si vous êtes sur la route, ils vont vous fiche
dans le fossé.

Et mes voitures qui étaient déjà engagées ! J'ai couru !
J'ai couru tant que j'ai pu !

— Les Boches qui arrivent !

On a eu la chance de trouver un chemin et de quitter la
route avant que les Allemands nous tombent dessus.

Nous voilà dans une ferme ; le patron s'appelait Hitler.
Il était seul, il était vieux, ses enfants étaient évacués.
Il voulait pas de nous. Je lui dis :

— On touchera à rien.

Dans ce pays-là, il y a du petit vin. Un de mes gars qui avait toujours soif trouve la cave :

— Il y a du vin bouché !

— Surtout faut pas y toucher.

— Non, non ! On veut pas y toucher ! Ah, non !

Total, le soir ils étaient tous cuits. Tous les hommes sauf Chardonneau. Tous pleins et leurs femmes, leurs filles, leurs mères qui se lamentaient autour. Tous mes gars étendus dans la paille. Quand je contemplais cette artillerie-là, j'engraissais pas.

Cette fois les Allemands nous avaient rattrapés. Je les voyais passer en loin sur la grand-route. Des soldats français les regardaient, comme des gosses qui regardent un défilé de 14 juillet. Je leur disais :

— Voyons, cachez-vous ! Enlevez vos uniformes !

Les Allemands arrivent :

— Allez, en route ! Prisonniers ! *Schnell !*

J'en pleurais, qu'ils se laissent prendre comme des mouches.

Je décide de repartir. Je donne à mon équipe un itiné-raire et je laisse la B2 à mon beau-frère Clément. Avec ma Ford, j'allais essayer de ramener Alice et les filles tout de suite à Saint-Loup.

A peine démarré, je tombe dans les Allemands. Ils venaient à cheval, à pied, l'artillerie, les camions. J'étais le long d'une route point large, les bottes aux Allemands passaient comme ça à côté de mon auto. Ils me faisaient ranger et j'étais bientôt dans le fossé.

Je pars à travers champs, je tombe sur un passage à niveau. Un Allemand demande l'heure à Alice ; elle lui tend sa montre ; il regarde l'heure et il rigole ; il lui redonne sa montre. Je vois un officier, je lui demande à quelle heure la route va être libre. Il me dit l'heure, mais je m'ennuie et je repars. Je fais peut-être cinq cents mètres. L'infanterie allemande descendait à pied tant que ça pouvait. Des soldats m'arrêtent :

— *Rauss ! Rauss !*

Tout ce qui était dans la voiture, ils le jettent dans le fossé. J'avais la main sur le robinet de batterie mais j'avise des civils et des soldats français prisonniers que les Allemands faisaient marcher au pas gymnastique. Tant pis ! Je vais pas prendre de coups de pied dans le cul pour une bagnole ! Je ne coupe pas le jus.

Les voilà partis avec la Ford. Dans le fossé, il y avait les poupées aux gamines, nos couvertures, nos chipes, et puis tout de même la mallette au pognon. On se trouvait dans le bas d'une côte. J'ai mis mon matelas sur mon dos. Les gosses ont mis leurs couvertures en fer à cheval, Alice a pris la mallette, et nous voilà partis.

On arrive à Baillou. Ce coup-là, on était de vrais évacués. Dans le milieu du pays, il y avait le curé, je lui cause et il nous envoie chez le charron. Ces bonnes gens nous ont bien reçus. On a mis nos affaires dans une petite pièce. Là, j'étais désorienté. Comment repartir ? Des Allemands plein la route, ils nous auraient écrasés. " On verra demain. tant pis. "

Je m'en vais vers le cimetière, sur la côte. J'allais là pour voir en loin. Je regardais les Allemands. D'un seul coup, je vois mes voitures, mes bâches bleues qui défilaient.

Je descends bien vite. J'arrive comme le curé criait à Clément dans la B2 :

— Retirez-vous de là ! Les Allemands prennent les voitures. Ils viennent de barboter la sienne à ce monsieur.

Après un jour ou deux à Baillou, on voyait bien que le gros de l'armée allemande était passé. Je décide de rentrer avec la B2. Le retour se fait sans autre mal.

Je suis arrivé vers trois, quatre heures de l'après-midi, avec Alice et les filles. Je retrouve mes bêtes. Une des vaches était restée dans notre cour. Mes moutons, j'en avais perdu un cent : ceux que les Boches avaient tués pour le plaisir, ceux que les chiens avaient estropiés, ceux que les gens de Saint-Loup avaient mangés. Ils avaient commencé par manger les blessés. J'entends le garde-champêtre qui foutait un coup de tambour :

— Distribution de viande gratuite dans la cour de l'école.

Je vais voir, c'était mes moutons qu'ils distribuaient, et ceux-là étaient point tant malades. J'ai dit :

— Je laisse faire ce coup-là, mais va falloir pas continuer.

Dans la maison, il y avait épais jusqu'aux chevilles de paille, de vieux papiers, d'ordures. Les évacués avaient cuit le pain, tué un cochon et un veau ; mes habits de pompier étaient sur le fumier. Les Allemands m'avaient vidé cent sacs d'avoine blanche sur la route pour faire manger leurs chevaux.

On avait été huit, dix jours absents ; il était tombé un peu d'eau, les champs avaient poussé. Les animaux s'étaient

promenés dans la plaine sans rien abîmer. Ils mangeaient
pas. Ils avaient personne avec eux, ils étaient perdus,
déshabitués, comme le monde.

Deux jours après, mes voitures sont rentrées. Et puis
Richer. Ensuite, voilà Édouard et Joseph qui arrivent.
Ils avaient trouvé un autre Espagnol qui avait trouvé un
cheval et une carriole et qui les a ramenés avec leurs
valises.

Le maître d'école de Baillou m'a écrit : les Allemands
avaient pas fait quatre kilomètres avec la Ford. A croire
que ces fantassins-là savaient guère conduire. Je suis
descendu la chercher et je l'ai remorquée jusqu'à Saint-
Loup.

Le bourricot était chez un bourgeois, du côté de Châteaudun. Il amusait les gosses. Avec Manceau on l'a ramené
dans une camionnette.

Total, il manquait plus que Marius. Quand il nous a
écrit, il avait été fait prisonnier en Belgique, à Nieuport,
près de la côte. Les Allemands l'avaient emmené dans un
camp à Olsberg, entre Cassel et Dortmund.

Tout s'est donc remis dans l'ordre, mais avec les Allemands.

Ils ont occupé Saint-Loup pendant quelques jours. Ils
étaient pensionnés chez le monde. Ils avaient tellement
marché si vite qu'ils avaient mal aux pieds. Pour passer la
visite, ils se mettaient vingt ou trente par terre sur le dos,
les pattes en l'air, nu-pieds. Le major passait et les badi-
geonnait.

Ils venaient acheter des œufs. Tout de même, je leur causais parce que j'avais été en Allemagne chez eux. Je leur demandais tout ça. Ils me répondaient :

— On part en Angleterre. Les Anglais, c'est des traîtres parce qu'ils viennent nous bombarder la nuit. Nous, on y va sur le jour.

Moi, j'étais satisfait qu'on était foutu. J'avais le moral à zéro : " Il y a que la mer qui peut séparer. Avec tous leurs systèmes, leurs inventions, on est lavé. Les Boches vont arriver en Angleterre. "

Un matin vers huit heures, au mois d'août, les avions allemands s'amènent. Ils venaient d'Orléans, ils passaient au-dessus du bois à Pelard, ils allaient sur l'Angleterre. Il y en avait ! Il y en avait !

" Ça marche mal... "

Mais quand ils sont revenus, ils volaient bas. Je me suis rendu compte qu'ils en avaient perdu plus de la moitié; ils avaient pris la raclée. De ce moment-là, ils ont passé la nuit. Je pensais : " Quand même, ils devaient marcher sur le jour. Sans doute qu'ils ont reçu un coup sur la gueule. "

Pendant tout l'automne, ils ont continué. Tous les soirs à la brunette, on commençait à les entendre. Toutes les cinq minutes ils passaient. Je sortais à la porte. On sentait que ces avions-là, ils étaient chargés. Je disais :

— Ils portent encore la mort, là-bas, aux Anglais.

La moisson a été bonne. Surtout, j'ai eu une récolte de carottes rouges à tout casser. Les femmes du village sont venues les arracher. Chaque semaine, trois bons-hommes menaient chacun deux chevaux et une voiture de deux à trois tonnes de carottes qu'on livrait au syndicat agricole de Chartres. J'étais le seul à en avoir fait et elles se vendaient comme des petits pains. On traversait Chartres et les gens couraient après nous avec des sacs. J'ai gagné de l'argent au poil.

De temps en temps, je cachais un veau sous les carottes. C'est là que le marché noir a commencé.

A Saint-Loup, le marché noir n'était ni le double ni le triple comme à Paris. On essayait de livrer le moins possible aux Allemands. Des haricots que les Allemands réquisitionnaient à quarante francs, on les vendait cinquante francs à des Parisiens qui venaient par le train jusqu'au Gault-Saint-Denis.

Pour commencer, les Parisiens s'étaient ravitaillés dans les fermes à côté du Gault. Mais à mesure, ils ont avancé jusqu'ici. Ils faisaient la queue à la Bourdinière. Richer en avait plein sa cour, et il a demandé aux gendarmes combien il devait vendre ses haricots. C'est eux qui ont fait le prix.

Avec toutes les vaches, les veaux qu'on a tués pendant la guerre, il y a assez de peaux enterrées dans le jardin pour faire les souliers à un bataillon ; des belles peaux qu'on pouvait pas vendre. Tous les mois on tuait une vache. Manceau en prenait la moitié, parce qu'il avait encore plus de personnel que nous, et plus de copains ; avec Chaboche, on se partageait le reste. On découpait ça au mieux. Comme on n'avait pas de balance, on pesait ça sur une bascule de cent kilos.

On tuait le soir chez nous. Je commençais par découper les hampes. Alice les mettait sur le gril et on mangeait nos biftecks. Avec tout le monde qui avait faim, qui parlait de nourriture, on mangeait moitié plus qu'avant la guerre. J'engraissais.

Je tuais des moutons. Je fournissais de la viande aux Ponts et Chaussés, aux Gendarmes, au Commissaire de police. Les gens me demandaient un agneau pour les mariages, les baptêmes.

J'ai jamais fumé. Quand le tabac a été rationné, j'achetais ma part et je laissais mes paquets sur la cheminée. Ah ! j'en avais des amis ! Ils prenaient une cigarette en arrivant, une en partant. Le docteur, le facteur, le garde-champêtre, tout le monde venait me voir.

Il avait fallu porter nos fusils à la mairie. J'en avais donné un mauvais et caché le bon. N'empêche que les Allemands passaient dans les mairies ; ils prenaient nos fusils et nos cartouches et se promenaient à la chasse.

Quand j'ai vu qu'ils tuaient notre gibier, je me suis dit : " Attends, je vais faire des collets. "

On en a fait, des voyages, pour s'apprendre... Mais quand on a eu la manière, on a placé des collets en croix et tous les lièvres qui passaient là étaient faits. Un jour, on en avait pris onze et je ne sais pas combien de lapins ; il y en avait pour soixante-dix-sept livres étalées par terre dans la maison de Chaboche. Je voulais plus en manger, je donnais tout aux amis.

On est allé aux perdrix la nuit avec une torche, un grelot et un filet.

On est allé aux faisans par clair de lune dans le parc de Meslay-le-Vidame. Des Allemands plein le château à cinq cents mètres de nous et la prison pour qui se ferait prendre.

Je voulais pas livrer d'avoine aux Allemands. Ils viennent à Saint-Loup pour un contrôle, et le maire leur dit que j'y mettais de la mauvaise volonté.

Je m'en venais chez moi quand je vois les Allemands qui entrent dans notre cour, qui montent au grenier. Je retire ma casquette, je monte derrière eux. Ils cherchaient de l'avoine. Elle était dans un bout du grenier que j'avais bouché. Ils ont rien vu. Pourtant ils m'engueulent :

— Tribunal ! Tribunal militaire !

... et tout le bazar. On redescend dans la cour. Ils étaient deux Boches, un gradé et un soldat. Cette vessie-là, je voyais bien qu'il mesurait si la maison n'était pas plus longue que le grenier. Faut croire qu'il a rien vu, sans ça j'étais fait.

Ils m'ont quand même foutu une amende. Je rencontre le maire :

— 'Phraïm, tu as une amende de vingt-cinq mille !

— Fais donc pas tant de manières. Pourquoi tu prends ton air malheureux ? C'est moi qui paie, faut pas te tourmenter.

A moins que je rentre tard, j'allais voir mes parents tous les jours, avant ou après souper. C'était pas loin. J'aimais bien mes parents. Ma mère, je l'embrassais chaque fois. J'embrassais pas mon père, mais il était ennuyé s'il m'avait pas vu.

A soixante-seize ans, il avait encore une vache. Il sciait du bois, il lisait son journal, il bricolait tout le temps un petit peu : c'était sa vie.

Il était sobre, mais depuis un moment il buvait une petite goutte le matin. Ensuite, la bonne qui habitait dans le pays venait traire la vache et mon père curait l'étable.

Un matin, au mois de novembre 41, mon père est arrivé dans l'étable, la bonne avait pas fini de traire. Mon père s'est assis. Il était mort.

Je ne l'avais pourtant jamais entendu dire du mal du curé, mais il voulait un enterrement civil. A cette époque-là, seulement les riches achetaient des places et mon père s'était rangé parmi les malheureux. Il avait dit :

— Puisque j'ai toujours été avec les pauvres, je veux rester avec eux. Il n'y a pas de raison pour qu'on m'enterre avec les riches.

Les Allemands réquisitionnaient des chevaux. Comme les miens étaient entiers, ils n'en voulaient pas. Mais j'aimais bien traîner et j'allais à Illiers voir la réquisition.

Les Allemands étaient pas encore malins. Ils faisaient mettre tout le monde sur la place du marché sans contrôler les chevaux par commune. Ils aimaient l'organisation militaire et ils piquaient les chevaux de ceux qui arrivaient en retard ; mais ils voyaient pas ceux qui arrivaient point. J'ai prévenu les copains :

— Amenez vos chevaux jusqu'à l'entrée d'Illiers et cachez-les à la forge. S'il y a un contrôle, je viens vous chercher. Sinon, c'est pas la peine de montrer vos chevaux aux Allemands.

Il y avait jamais de contrôle.

Quand venait l'heure, les gars qui étaient sur le marché présentaient leurs chevaux. C'était comme le jugement dernier ; les bons à droite, les mauvais à gauche et quelques Allemands avec des mitraillettes qui les gardaient de long en large. Il y en avait pas pour longtemps de foutre un bon cheval dans les mauvais pendant qu'ils avaient le dos tourné. Je voyais des gars qui avaient envie de le faire : leur bon cheval que les Allemands allaient prendre, et ils avaient pas la moelle de le changer de tas. Un bon coup, je prends la bride d'un cheval : et tac ! je l'envoie à gauche.

— Bon Dieu de bon à rien ! que je dis à son propriétaire.

Un ordre est venu à la mairie de faire castrer les chevaux parce qu'il y avait plus assez de hongres pour la réquisition. J'ai pas attendu qu'ils me disent lequel et j'ai fait castrer un cheval de limon qui marchait les jambes écartées ; en grandissant, les jambes lui avaient crochi. Total, les Allemands en ont pas voulu. Ils m'en ont même jamais pris. Je me démerdais parce que j'aimais bien ça, et puis je pouvais pas voir les Boches.

L'essence ou l'alcool qu'on nous donnait pour les tracteurs, c'était pas rien. Pas de chevaux à vendre dans le Perche, alors j'ai acheté des bœufs et j'en ai dressé deux paires.

Les gars du coin en achetaient dans la Vienne qui étaient déjà dressés. Ils valaient cher. J'ai acheté des croisements de Charolais et d'Anjou, des bœufs de viande. Un copain dont le père avait eu des bœufs m'a prêté un joug que j'ai fait copier par le charron ; le bourrelier nous a taillé des cuirs exprès. Perrier était patient, j'en ai fait un bouvier, et petit à petit on a dressé les bœufs avec un vieux cheval par-devant qui les conduisait. Ils ont marché jusqu'à tant que la guerre soit finie.

On était toujours à la recherche de chevaux. Les Allemands distribuaient des bidets de l'armée française, des bêtes maigres, prêtes à crever, des chevaux prisonniers comme les bonshommes. Je vais en chercher un à Chartres ; je l'ai appelé Pétain.

Pour commencer, il courait pas. On l'a nourri, soigné. Ce cheval-là est devenu un maître trotteur. En moins d'une heure il gagnait Chartres. On a mis des pneus à la carriole et avec les autres on faisait la course. Pétain aimait pas se faire dépasser. Il était beau quand il allongeait.

Les Allemands nous ont envoyé un papier qu'il fallait rendre les bidets à Bonneval. J'ai commencé par ferrer Pétain en lui serrant le pied, pour qu'il boite. Le matin de l'emmener, je lui ai barbouillé les fesses comme s'il avait de l'entérite. Arrivé à Bonneval, mon commis qui avait pas été soldat se met à présenter le cheval, les mains dans les poches. L'Allemand lui envoie un coup de pied dans le derrière. Le commis essaie de faire courir Pétain, à peine s'il pouvait le suivre. Réformé ! Du coup, les Allemands me l'ont vendu pour dix mille francs.

Après, on en a eu marre des chevaux et on s'est débrouillé à mettre les autos en route. D'abord, Berland a porté un cochon à la Kommandantur, et les Boches lui ont donné un S.P. Berland nous menait à Chartres ; il nous prêtait sa voiture. Ensuite, quand la Résistance a commencé, on a eu des faux S.P. de la Préfecture.

Au début de l'occupation, quand on craignait que les Allemands allaient rester, j'avais vendu la Ford. Mais à mesure, je me suis dit : " C'est pas le tout, il va venir qu'on va gagner, qu'ils vont s'en aller, et moi je vais point avoir d'auto. "

Ça fait que j'ai réussi à acheter une traction avant pour soixante-dix mille. Je me promenais avec mon faux S.P. Eh bien, les gars qui avaient de vrais laissez-passer étaient jaloux. Tout juste s'ils m'ont pas dénoncé.

La jeunesse se débrouillait à s'amuser tout de même. Ils faisaient des petits bals clandestins dans les greniers. Jacques, le fils de Paul Chaboche, jouait de l'accordéon. Ils avaient pas de souliers et ils valsaient avec des galoches. Le fils Richer commençait à fréquenter Éliane.

Quand il venait la chercher, il lui cognait des rondelles de cuir sous les sabots pour qu'elle puisse danser.

On écoutait la radio anglaise, " les Français causent aux Français ". Il y avait bien un petit peu de bruit, mais des gars avaient bricolé des inventions pour retirer le brouillage. Au début, il fallait se méfier des gendarmes, ils écoutaient aux portes. Ça n'a pas duré longtemps. Comme ils venaient chercher des haricots et de la viande, ils ont vite changé d'idées.

J'allais souvent chez Manceau dans ce temps-là. On parlait de politique, on parlait des Boches. Un matin qu'on se promenait dans ses champs, qu'il me montrait ses cultures, il me dit :

— Sous cette luzerne, il y a des armes parachutées.

Plus tard, j'ai appris que ces armes-là et des radios avaient été parachutées à Meslay-le-Grenet au printemps 43. Manceau était un ami de Jean Moulin, l'ancien préfet de Chartres, et dès 40, ils avaient causé de Résistance.

Une nuit de juin 44, juste après le débarquement, Manceau me fait venir et on déterre les armes dans leurs containers. Du camp d'aviation, les projecteurs des Allemands nous éclairaient à sortir cette ferraille qu'on a chargée sur des tombereaux.

Vers cette époque, je suis entré dans les F.F.I.

Vous vous souvenez de monsieur Houdard, mon ancien maître d'école ? Son fils était archiviste à la mairie de Chartres. Il s'occupait d'un réseau, il communiquait même avec les Anglais. Il était toujours resté mon ami et il venait chez nous à vélo au ravitaillement.

Houdard cherchait une ferme pour cacher des armes. Comme il connaissait bien Saint-Loup, il a voulu en parler au maire ; il a vite compris qu'ils seraient pas d'accord.

Il est venu me trouver. Il me préparait l'opinion. Ça me disait trop rien d'avoir un dépôt d'armes chez moi. On en débattait avec la patronne. J'ai promis un jour, et le lendemain j'ai écrit une lettre disant que je voulais plus. Houdard revenait sur le tas.

Pour en finir, je me laisse faire. Je dis à Houdard :

— Je veux que vous soyez à la maison quand ça viendra.

— D'accord.

A deux heures après midi, j'avais renvoyé mes commis, Houdard arrive sur son vélo. Et puis deux camionnettes. On les a vidées dans la grange. Pendant ce temps-là, le maire passait sur la route avec ses commis dans un tombereau. Ils allaient aux champs. Il dit en voyant les camionnettes :

— Tiens, voilà 'Phraïm qui fait du marché noir.

Quand on a eu vidé les camionnettes, on a bu du cidre
bouché à la maison, sans causer. Tout le monde était
blanc. J'ai jamais su qui, ni rien; personne a dit un mot
tant qu'ils sont repartis.

Moi, je restais avec cette invention-là à cacher. Plus
d'une demi-tonne d'armes. Alice s'arrachait les doigts
sur ces machins. J'en ai caché dans la bergerie, j'en ai
emmené chez ma mère, j'en ai mis dans le jardin, sous
des tôles. Il y avait un tas de trucs là-dedans, du plastique, des grenades, des mitraillettes.

Je pouvais pas les cacher trop bien, puisque les gars
venaient à toute heure en chercher. Ils s'amenaient à
vélo. Des fois ils venaient à un, des fois deux. Je les
connaissais mais je les ai jamais connus puisque je leur
demandais pas leur nom ni rien. Ils venaient même la
nuit. Au carreau : Toc ! Toc !

— Grenadou !

C'est arrivé que je me trouve nez à nez avec des Allemands qui étaient perdus et demandaient la route. Ce que
j'avais le plus peur, c'est qu'un régiment d'Allemands vienne
cantonner un jour, que les soldats se fourrent partout et qu'ils
trouvent ça dans la paille. J'avais peur d'un flic incognito.
Je gardais toujours la porte de derrière ouverte : " S'ils
viennent pour me piquer, je vais me sauver dans les
champs. " J'avais une mitraillette pour me défendre.

Avec ce plastique, la Résistance a fait sauter la Centrale de Chartres, ils ont fait sauter des ponts, des voies
de chemin de fer ; ils foutaient le feu aux camions d'essence.

Dans ces moments-là, Maurice Clavel et Sylvia Monfort
arrivent à quatre heures de l'après-midi. Ils étaient pistés

par les Allemands. Ils connaissaient notre maison parce que Clavel était venu plusieurs fois. Alice leur a donné à manger et à coucher par terre dans la chambre des enfants. Le lendemain matin, ils ont déjeuné et ils sont partis. Elle avait un vélo qui était fichu et je lui ai donné un vélo à mes filles. Sylvia Monfort, avec ses cheveux jaunes, je craignais qu'elle se fasse piquer par les Allemands.

Après la Libération, j'ai su que les armes que Houdard avaient cachées chez moi étaient celles que j'avais déterrées dans la luzerne à Manceau.

Le mois d'août arrive. Les Américains approchaient, les Allemands remontaient. Ils passaient à la Bourdinière, sur la route, avec des tanks, des camions. Les Américains mitraillaient et bombardaient. Les gens regardaient en l'air. Rien que de voir ça, les Boches arrêtaient leurs autos et se sauvaient tout partout, de peur des avions. Ils étaient drôlement nerveux et à la Bourdinière ils avaient flanqué des coups de pied dans le derrière d'un gars. Ils avaient menacé Richer d'un revolver et lui avaient pris un cheval.

Quand les Allemands passaient la nuit, fallait pas se montrer. Huline, le commis à Richer, allume une cigarette devant sa porte. Paf ! un coup de fusil juste au-dessus de sa tête.

Ma mitraillette était sur la table, une voiture d'Allemands rentre dans la cour. Ils venaient pour chercher des poules. Quand ils ont vu que la basse-cour était par-derrière, ils ont hésité, et ils sont remontés en voiture pour aller en barboter chez le voisin. On a eu de la chance parce que j'étais décidé : s'ils allaient derrière, je me cachais dans la grange et je leur tirais dessus quand ils revenaient dans le passage. La fatalité a pas voulu.

La dernière nuit, on voyait les coups de canon, des lueurs du côté de Châteaudun, du côté de par là. Avec Richer, on se couchait sur la grand-route pour écouter si les Américains arrivaient. De temps en temps, il passait encore des Allemands et je dis à Richer :

— Moi, je vais m'en aller de là parce que si je reçois des coups de pied dans le derrière à la Bourdinière, la patronne va rigoler.

Je rentre par la route à bicyclette, sans lumière, bien sûr. J'entends causer. Je crois que c'est des gamins du pays et je fous mon vélo en travers :

— Halte-là !

C'était des Allemands, à vélo aussi. Ils descendent. Ils me disent :

— Quoi que c'est les lueurs ?

— Là, c'est Châteaudun.

— Par où il faudrait qu'on s'en aille ?

— Je crois que ça doit être encore bon par Dammarie.

Je leur explique. Un des Boches me demande :

— Quoi que c'est que vous en dites, des Allemands ?

— Écoutez, j'en sais rien, moi. Ici, on connaît rien. On vous a vus arriver, on connaît pas la suite.

C'était pas le moment de plaisanter. Ceux-là ils avaient pas l'air de savoir qu'ils étaient foutus.

Enfin, les Américains sont arrivés. On a fêté ça avec Manceau et les copains. Les Américains passaient ; on leur donnait à boire. Ils venaient à pied, ils avaient des radios, ils se causaient. Je leur demande où ils allaient, ils me répondent :

— Nous voilà ici, mais c'est rien. On ira au Japon...

C'est après la Libération qu'on a entendu parler de cette Résistance, pas celle de ceux qui s'étaient battus, mais des gars qui avaient des fusils, des jeunes, des vieux qui coupaient les cheveux aux bonnes femmes, qui volaient le monde, qui volaient des autos pour aller manger dans des restaurants où ils payaient point. Ils tuaient, ils pillaient, une écœuration !

" Qu'est-ce que ça veut dire ? " Les Américains leur avaient donné des fusils pour les aider, mais total, les Américains se battaient avec les Allemands pendant que les autres emmerdaient les civils.

Le maire de Saint-Loup est convoqué à Chartres pour dénoncer les collaborateurs et ceux qui faisaient du marché noir. Qu'est-ce qu'il fait ? Il m'annonce !

Quelques jours plus tard, deux gars habillés en aviateurs arrivent chez nous. Ils trouvent la patronne :

— On vient chercher l'auto. Elle est réquisitionnée.

— Mais le patron est pas là.

— Ça fait rien, vous allez nous donner la clé de l'auto.

— Je vais sûrement pas vous donner la clé. Si c'était sa femme que vous veniez chercher, il la donnerait peut-être, mais pas l'auto. Vous pouvez être sûrs !

— Où est-il le patron ?

— A Luplanté. Je vais vous mener.

J'étais chez Paul Chaboche. Alice arrive avec ces officiers :

— Ordre de réquisition, on vient chercher votre voiture.

J'avais mon portefeuille. Je leur sors un papier que mon auto était au service des F.F.I. Ils me disent :

— Votre papier, c'est zéro !

— Eh bien, votre ordre aussi...

— Alors, on vous emmène à Chartres.

On passe par Saint-Loup où je monte dans ma voiture. J'étais en sabots. Un des soldats me dit :

— Pour revenir à pied, vous seriez mieux en souliers.

— Tourmente-toi pas ! Comment je vais revenir, tu as pas à t'en faire !

Ils me mènent au Deuxième Bureau, ou je sais pas quoi... en face du garage Renault. Des soldats montaient la garde. J'arrive au premier étage, un soldat de chaque côté comme un prisonnier. Il y avait un commandant, je lui dis :

— Ils veulent prendre mon auto, pourtant j'ai fait mon devoir. Il y en a sûrement qui en ont fait moins... D'ailleurs, ça fait rien, mais...

— Vous avez fait de la Résistance ? Avec qui ?

— Monsieur Houdard, l'archiviste.

— Houdard a été fusillé par les Allemands !

Ce pauvre Houdard. Personne m'avait dit qu'il était mort.

— Je vous demande d'aller à la Préfecture.

— Allez-y.

Là, je trouve Sylvia Monfort.

— Ils sont en train de me barboter ma voiture.

— Écoutez, Monsieur Clavel est au lit, il a la dysen-
terie. Mais je monte lui en parler.

Elle monte lui dire tout ça et Clavel m'envoie son
lieutenant qui me donne un papier.

Je reviens au Deuxième Bureau, je monte, je pose le
papier sur le bureau du Commandant. Il s'excuse. Je
redescends. Dans la cour, les soldats me présentent les
armes !

Chaque fois que je revenais à Chartres, ces soldats-là
me connaissaient, ils me présentaient les armes ! Là,
ça commençait à marcher. Je me disais : " Je suis bientôt
monté en grade ! "

Vers la fin septembre, on parlait de prisonniers allemands sauvés, de soldats allemands qui traînaient encore.
Des gens d'ici ou de là les avaient aperçus à travers les
champs. J'entendais dire : " Ils ont en vu. " Je croyais
pas que j'en verrais.

Un jour, Loros qui mettait des collets dans le Bois
Prussien s'en revient par notre chemin :

— Il y a des Allemands dans le bois.

— Dis-le donc à Saint-Loup. S'il y en a qui veulent
venir, après la soupe on va aller les chercher.

Le gars revient à une heure, mais personne de Saint-
Loup l'avait suivi. Les gendarmes passent.

— Dites donc, il y a des Allemands là-bas.

— Nous, on est commandé par ailleurs.

Tant pis, je rassemble mes commis, Poil Blanc, mes
deux Espagnols et un autre Espagnol encore qui faisait

du charronnage. On attelle la carriole. J'avais la mitraillette et le fusil de chasse.

On arrive dans le coin du bois.

— Il y en a un qui va rester dans la carriole, les autres vont surveiller le bois. Si les Allemands se sauvent à travers champs, on saute dans la carriole et on les rattrape.

Je rentre sous le bois. Je fais cinquante mètres. Hop ! Voilà nos Allemands couchés. Ils se lèvent. Et ils braillaient ! Ils avaient peur ! Un ou deux ont voulu se sauver, les autres les ont retenus. Heureusement, j'aurais tapé dedans. Je dis au gars qui m'avait suivi :

— Tu vas les fouiller.

On a trouvé une boussole, mais pas d'armes. Bon :
— Baissez les bras !

Ils voulaient pas. On les a emmenés. Ils étaient six, tous des gradés : un lieutenant, un adjudant et d'autres sous-off'. L'adjudant me dit :

— Prenez les autres et laissez-moi me sauver.

— Ton devoir c'est de te sauver et le mien c'est de te prendre. On va pas te faire du mal.

Il regardait ma mitraillette. Si ça avait été un manche à balai, il me foutait un coup de poing dans la gueule et c'était fini. Les autres Allemands avaient sans doute l'air costauds, mais cet adjudant-là, c'était un père.

— Filez !

On part à pied vers Saint-Loup. On rencontrait des gars qui avaient même pas eu la moelle de nous aider à prendre ces Allemands et qui me criaient :

— Tue-les !

L'Allemand à côté de moi me dit :
— Le monde sont méchants.

Arrivés à la maison, la patronne sort des seaux d'eau pour qu'ils se débarbouillent. Je leur prête mon rasoir parce qu'ils avaient des grandes barbes. Quand ils ont été rasés, on les a fait manger. Tout le monde du village était dans la cour à les regarder.

Je les ai emmenés à la Bourdinière. On a arrêté une ambulance américaine. L'adjudant, il se trouvait dressé. De tous, il prenait ça le plus dur. J'avais vu ses papiers : un gars avec quinze ans de service.

A la Préfecture, ils en ont pas voulu :

— Faut que vous les meniez aux Américains.

On a traversé Chartres au pas. Fusil et mitraillette. On croisait des gens qu'on connaissait. Une deux ! Une deux ! Les Américains nous ont fait un banquet. Ils me disaient :

— Vous auriez pu en tuer deux ou trois, ça ne faisait rien.

Quand on a fini de manger, un petit gueuleton bien, ils nous ont ramenés à Saint-Loup en jeep. On marchait à cent à l'heure !

Mais c'est pas fini. Huit-quinze jours après, on était en train de battre du blé de semence. Henriette Pommeret et d'autres bonnes femmes piquaient des bottes. Tout à coup, Henriette tombe à genoux sur le bord du tas.

— Quoi qui lui prend ?

Je vois deux Allemands qui se brassaient dans les gerbes. Le temps que je coure chercher ma mitraillette, ils sautent par terre et ils se sauvent dans les champs derrière chez Bailly. Je pars après, avec ma mitraillette et puis Éliane. Je les vois. Ils étaient déjà à soixante mètres. Éliane criait :

— Papa, tire ! Tire !

Je lâche une rafale en l'air. Ils se sont arrêtés comme ça ! Je leur fais un petit signe. Ils s'en viennent. On se regarde. Moi je ris. Ils rient. On riait. On se regardait en riant, forcément.

On était plusieurs copains, dont Chaboche, Berland, Richer, Manceau qui avions gardé nos fusils. Aussitôt les Américains passés, nous voilà partis à la chasse. Il y en avait du gibier !

Bien sûr, ceux qui avaient donné leur fusil étaient un peu jaloux de nous voir. Mais, comme la chasse était défendue, on invitait le capitaine de gendarmerie et le commissaire de police de Chartres.

C'était les cartouches qui nous gênaient. Vouzelaud, l'armurier de Brou, nous donnait des amorces pour recharger les vieilles cartouches.

Il m'arrive même de ne plus avoir de cartouches pour mon seize. Chaboche avait du douze, il m'en donne et me fait prêter un fusil pour ce calibre-là. C'était un fusil qui avait été caché dans la terre, rouillé. Premier coup que je tire sur un faisan, je le manque. " Qu'est-ce que c'est que ça ? " Le fusil s'était ouvert sur plus de dix centimètres, juste plus loin que ma main.

Un jour, on chassait à Boisvillette avec le commissaire de police ; l'adjudant de gendarmerie de la Bourdinière arrive à moto. Quand il nous voit, il descend de moto et court vers nous. En venant, il faisait sauter les lièvres ; il faisait le rabat. Nous, on tirait de plus belle.

L'adjudant s'adresse d'abord au commissaire montre sa carte.

— Ça fait rien. Je m'occupe pas de ça. Tout le monde à la gendarmerie !

Il allait nous mettre en prison. On continue à chasser quand même et après l'apéritif on va à la gendarmerie.

Le commissaire de police sort dans le couloir avec l'adjudant. Rien à faire ! Voilà les gendarmes qui demandent au commissaire de police le prénom de son père et le nom de sa mère. Moi je regardais les meubles et je pensais : " Ça m'étonnerait. Dans l'armée, j'ai jamais vu qu'un cabot foute le capitaine en prison. Ça va peut-être arriver... "

Le lendemain un ordre est venu ; l'adjudant a mangé son rapport et le surlendemain on repartait à la chasse.

L'armistice signé en 45, les prisonniers ont commencé à rentrer. Marius est revenu un des derniers, en juin. Il avait travaillé dans les fermes d'un pays de montagne ; l'hiver, il allait au bois. Tout de suite il s'est remis au boulot.

En juillet, le père d'Alice et de Marius est mort. Il avait quand même vu son fils revenir.

12

L'après-guerre

Mon Fordson était démodé, depuis le temps que je l'avais. La guerre finie, tout le monde voulait acheter des tracteurs. Il fallait obtenir des bons distribués par le génie rural. Les tracteurs neufs allaient chez les veuves de guerre ou chez ces messieurs avec du piston. Je me suis fait inscrire. Ils devaient toujours m'en donner un, mais j'ai compris que je ferais mieux de me débrouiller seul.

Je m'adresse à Versailles au garage qui s'occupait des tracteurs Lanz pour toute la France. Naturellement ils en avaient pas de neuf, mais le patron me dit :

— Mon vieux, je t'en trouverai un d'occasion.

Ça dure un mois, deux mois, six mois. J'ai été le voir plusieurs fois, il promettait toujours. " Il me casse les pieds, encore la même musique. " Qu'est-ce que vous voulez, tout le monde cherchait...

Un soir que je revenais d'un enterrement, je passe à Versailles, le patron faisait sa partie de cartes dans le bistrot du coin.

— Attends donc, Grenadou. Je finis ma partie et j'arrive !

Il me rejoint :

— J'ai toujours bien aimé les gars de la Beauce. J'ai ton affaire. J'ai un tracteur en vue qui est dans les Vosges.

Il m'explique le tracteur, quelle année, tous les détails.

— Combien ?

— Il me coûte cinq cent mille.

J'ai mon carnet et je lui fais un chèque de cinq cent cinquante mille. Sans avoir vu le tracteur !

Rentré à Saint-Loup, je raconte ça au père Richer :

— Tu t'es fait enfler...

Le tracteur venait point. Je téléphonais au patron : " T'ennuie pas, il va venir. " J'ai attendu trois mois, quatre mois. Enfin, je reçois un avis de la gare de Bailleau-le-Pin. Voilà le tracteur sur un wagon. Eh bien tel qu'il me l'avait dépeint, il est arrivé. On l'a mis en marche. Tout de suite : " Teuf, teuf, teuf ! "

C'est plutôt de la bêtise d'acheter de la marchandise sans l'avoir vue, mais ce tracteur a tourné deux ans sans même une révision. Il est encore là, sous le hangar, un tracteur de 36 qui marche en 66 comme une horloge.

Pour ça, les Boches, ils sont forts.

Mes filles grandissaient et je me disais : " Si un de ces jours l'une d'elles se marie avec un cultivateur et que je leur laisse la ferme, je veux pas rester avec eux. Il ne faut pas rester avec les enfants. "

J'ai fait construire une maison neuve.

Je connaissais une maison à Chartres dont le genre me plaisait. J'ai fait faire la mienne telle que j'avais vue l'autre, avec un auvent sur toute la longueur de la façade et puis deux ailes, une pour la cuisine et l'autre pour le garage. Il y a la salle à manger, le vestibule, une sorte de salon et en haut deux chambres à coucher et une salle de bain.

On l'a commencée, les Allemands n'étaient pas encore partis, et on a été deux ans à la finir. Avec la guerre on n'avait pas ce qu'on voulait. Il a fallu chercher le ciment à Mantes.

Le père Témoin, de Luplanté, l'a faite avec des pierres des champs de Saint-Loup, du silex, sauf le devant qui est en pierres de Berchères.

C'est mes Espagnols qui ont creusé les tranchées pour les fondations. On a fait la charpente avec du bois de Saint-Loup.

Comme aucun de mes gendres a eu l'occasion de reprendre la ferme, c'est un de mes commis qui habite la maison neuve. Je n'y mets pas les pieds une fois par an.

Fin 45, j'ai été à Dreux chercher deux prisonniers allemands, un pour moi et un pour le charron. C'était des menuisiers.

J'avais racheté un petit atelier de menuiserie à Luplanté et tous les jours mon Allemand allait travailler là-bas à vélo. C'est lui qui a fait toutes les fenêtres de la maison neuve.

Un petit Allemand, un jeune qui avait peut-être vingt-cinq ans, un gars charmant qui s'appelait Kurt. Il était brun, point un colosse, il rimait pas à un Allemand.

... e voulait que je l'enferme. Moi, je le traitais comme un ouvrier. Il savait conduire, je lui prêtais ma voiture et une montre pour qu'il sache l'heure ; je l'avais habillé. Il mangeait avec nous ; il couchait dans un lit à l'écurie, avec les autres. Il a peut-être été six mois à la maison.

Le dimanche, Kurt allait rendre visite à des prisonniers des alentours : celui du charron, un au Temple et plusieurs autres encore par là-bas. Un dimanche, ils ont sans doute combiné de se débiner. Le lundi matin, pas de prisonnier au déjeuner. Je vais voir : il avait tout laissé, les affaires bien pliées, la montre dessus. Il avait belle de prendre mon vélo, même l'auto, eh bien, non !

Les autres, eux, en se sauvant, ils avaient volé leur patron.

J'ai été forcé de déclarer Kurt à la Gendarmerie, mais je me suis pas pressé. Je crois qu'il est arrivé en Allemagne puisque j'en ai jamais réentendu parlé. Bien sûr, j'ai eu des embêtements avec les gendarmes, et j'ai payé une forte amende.

Éliane a épousé André Richer en septembre 46.

Tous ces jeunes-là, pendant la guerre, ils sont pas sortis. Quand ils faisaient leurs bals clandestins, c'était entre eux puisqu'ils n'avaient pas d'auto.

Richer c'était mon copain. Jamais il m'a dit : " Je marierai mon gars à ta fille " ; et moi : " Ma fille à ton gars. " Nous, les vieux, on s'est jamais occupé que les enfants se marient ensemble. Éliane et André, comme tous les jeunes, ils ont simplement décidé de se marier.

On a fait la noce chez nous. C'était pas encore la mode des restaurants. J'ai loué un bal, un parquet et une tente qui tenait les deux tiers de la cour. J'ai vu un cuisinier. On a tué un mouton, on a tué un cochon ; le cuisinier est venu la veille et a travaillé toute la nuit. On a allumé le four et il a cuit des galettes, des rôtis, de la volaille. Mes commis faisaient la cave, des femmes du pays sont venues servir. On était cinquante à manger. Après le repas on enlevait les tables et on dansait. Ça a duré deux jours. On a jamais pu manger tout ce qu'il y avait.

L'année suivante, en 47, ma mère est morte à quatre-vingts ans. Depuis la mort de mon père, ma sœur et mon beau-frère Clément vivaient avec elle. Elle était bien, mais un soir elle s'est sentie fatiguée et en trois jours c'était fini. Tout doucement.

En 48, Joseph et Édouard qui avaient été longtemps sans recevoir de nouvelles de leur femme, ils ont reçu de la correspondance d'Espagne. Les femmes les incitaient à rentrer. Ils avaient pas envie. Ils ont été longtemps à se décider. Ils me demandaient mon avis. Moi, je savais pas.

Ils ont fini par repartir. Ils m'avaient promis de m'écrire. Jamais de lettres. D'après ce que je crois, quand ils sont rentrés, ils ont été en prison. Sans doute qu'ils étaient inscrits dans les hommes de résistance. Ils étaient comme de la maison. Ils m'auraient écrit ! Quand, pendant huit ou dix ans, on vit dans la même maison, dans la famille, et quand on a travaillé ensemble. Je me demande... je me demande...

Je cultivais plus d'une centaine d'hectares, je récoltais mille quintaux de blé, autant d'orge ; après la guerre ma batteuse s'est trouvée petite pour mon exploitation, j'étais trop longtemps à battre.

Sauf Richer, mes copains n'avaient pas de batteuse. Ils s'adressaient aux entrepreneurs qui étaient chers. Cette histoire de battage était devenue un drôle de poids à la culture.

Avec Chaboche, on a décidé en 46 de monter une coopérative. D'abord on a cherché des gars capables d'être coopérateurs, les plus larges d'idées. On a trouvé : Gard au Temple, Poussard, Tessier et Charles Dreux à la Bourdinière, Chaboche, Mercier, Colas et Leclinche à Luplanté, Manceau à Meslay-le-Grenet et moi à Saint-Loup. A nous tous, on faisait mille hectares.

Restait à trouver une batteuse. Le génie rural ne nous a pas fait trop attendre. Faut dire qu'on connaissait un Parisien qui avait fait la résistance avec un communiste, Marcel Paul, le ministre de l'Industrie. On a été au ministère du bazar ; Marcel Paul n'était pas là mais ses commis nous ont bien reçus. Un an après la création de la coopérative, on avait une société française qui débitait cent vingt quintaux par jour. Après, on a acheté une presse pour la paille, et plus tard un vieux tracteur pour remplacer le moteur électrique. On payait le matériel tout de suite avec nos sous, selon le nombre d'hectares des participants, chacun sa part.

J'étais le président et je tenais les comptes. Avec cette coopérative, on économisait mille francs de l'heure par rapport aux entrepreneurs. On réglait les comptes une fois par an et j'avançais le salaire du chauffeur, l'huile, les assurances, l'entretien des machines.

La batteuse allait de ferme en ferme, trois jours dans l'une, quatre dans l'autre selon les besoins des propriétaires. Les ouvriers étaient payés chaque samedi par le patron de la ferme où ils battaient. Mais si les ouvriers quittaient une ferme au milieu de la semaine, un mardi ou un jeudi, on les payait pas encore : ils se seraient saoulés et ils auraient plus travaillé. Ils attendaient le samedi soir.

Parce que ces gars de batterie étaient des compagnons pas ordinaires ! C'est moi qui les recrutais à Chartres. Pour les embaucher, fallait être large d'idées et pas être à un litre près.

Autrefois, on les appelait " la garde à Marceau " parce qu'ils se tenaient place des Épars autour de la statue de Marceau. Et puis, ils ont été chassés de là ; ces gars un peu saouls avec des baluchons faisaient pas touristique. Ils ont été envoyés sur le marché aux veaux.

Chartres était ville ouverte et les gars de batterie étaient des interdits de séjour, des condamnés, des clochards. On y trouvait toutes sortes de métiers ; d'anciens notaires, curés, maîtres d'école, bourgeois, marins... de tous les coins de la France.

Quand le marché aux veaux a été détruit ils sont allés en face, dans une auberge qui s'appelait le Soleil Levant. C'était la maison-mère. Ils étaient cinquante là-dedans qui buvaient, qui se battaient. Les femelles étaient encore plus méchantes que les bonshommes.

Les patrons qui cherchaient des ouvriers avaient peine à y entrer sans se faire insulter. Des patrons payaient mal, battaient même leurs ouvriers et quand ils entraient au Soleil Levant, ils se faisaient tirer les oreilles. Moi j'entrais là et ceux qui me connaissaient me défendaient. Tout de suite je payais un litre ou deux.

Je causais aux chefs.

— Il me faut des hommes.

— De combien t'as besoin ?

— Six hommes.

— Allez ! Un tel à Saint-Loup ! Et un tel, un tel...

Il y en avait qui voulaient venir, qui avaient faim, en hiver par exemple... ils osaient pas s'approcher de moi si le chef les avait pas nommés. Et les chefs envoyaient leurs protégés.

Même dans cette misère, c'était déjà une dictature.

Des gars qui avaient travaillé toute la semaine, qui avaient quitté Saint-Loup le samedi frais et dispos, je les reconnaissais plus quand je retournais les chercher le lundi matin. Ils avaient reçu des marrons, ils étaient noirs de coups et déchirés.

Il y en a que j'amenais le soir à Saint-Loup ; la patronne leur donnait à manger et ils se couchaient. Le lendemain matin, ils déjeunaient et à l'heure du boulot, ils s'en allaient. Ils faisaient deux repas sans vouloir travailler ! Je leur en voulais pas pour ça, c'était l'habitude. Fallait pas embaucher de femmes, ça foutait la panique.

Le grand Bébert, il avait été condamné à je sais pas quoi. Il venait toujours avec un petit. Quand il avait bu, il tenait le petit par le quéniot et il le serrait tant que l'autre lui sorte ses sous.

Un lundi matin, les gendarmes arrivent à la batteuse chercher le grand Bébert qui avait cassé une bouteille sur la gueule à un de ses copains, la veille.

Les gendarmes lui mettent les menottes.

— Monsieur Grenadou, faut que vous nous meniez à Chartres.

A Thivars, je paie à boire aux gendarmes et au grand Bébert. Les mains lui gonflaient, au pauvre.

— Faut lui desserrer les menottes. C'est pas un mauvais gars.

Après deux, trois mois de prison, le grand Bébert est revenu.

Total, c'était tous des repris de justice et ils travaillaient bien.

Le dimanche ils étaient saouls. Ils couchaient dans les fossés, dans la pluie. Le lundi matin, à cinq heures et demie, tout le monde à déjeuner comme si de rien n'était. C'était des gars plus durs que nous.

Il en fallait une douzaine pour faire tourner la batteuse, passer les gerbes, monter le grain. Ils travaillaient dans la poussière, à pas respirer. Comme ils aimaient le vin : un coup de pinard à neuf heures, un autre à quatre heures et ça repartait. Jamais je leur ai dit d'aller plus vite. Toujours je leur disais " moins vite ". L'ouvrage est mieux fait sans forcer l'allure.

Tandis qu'il y avait d'autres cultivateurs, même dans notre coopérative, qui étaient regardants à la nourriture. Quand l'équipe était chez eux, on leur faisait manger ce qu'ils voulaient pas trop.

" Chez nous, on boit pas de vin ! "

Ça m'embêtait que mes gars soient bien soignés par endroits et mal ailleurs. C'est pourtant pas un canon à neuf heures du matin qui les aurait saoulés !

Quand arrivait neuf heures, s'ils avaient pas eu de canon

chez le fermier, le grand Bébert foutait une botte contre le
volant et la courroie sautait.

Le paysan prenait son vélo et venait se plaindre :

— Dis donc, 'Phraïm, ça marche mal, chez moi...

J'allais voir mes commis :

— Eh bien ?

— Vous savez, on travaille comme on est nourri.

Je pouvais pas dire grand-chose.

Pour en revenir à notre coopérative, si tous les participants avaient eu l'esprit plus coopérateur, on aurait encore
gagné davantage. N'empêche qu'on avait débuté en
s'achetant une batteuse à dix et qu'au bout de dix ans, on
avait gagné chacun notre moissonneuse-batteuse. J'ai
acheté une Massey-Harris.

Tout de suite après la guerre, mon berger était mort.
Je n'ai trouvé personne pour le remplacer et j'ai vendu
presque tous mes moutons.

Mais on trouvait des gars qui faisaient un peu le vacher
et j'ai eu un troupeau de vaches.

Justement, la paille se vendait mal ; autour des fermes
de toute la Beauce, il y avait tant de meules que ça devenait
catastrophique. J'ai essayé des produits synthétiques pour
faire du fumier sans bêtes, avec de la paille et de l'eau, un
boulot à peine rentable.

Alors j'ai construit un grand enclos dehors que j'ai
garni de paille. Douze ou quinze vaches trépignaient la
paille et faisaient du fumier. Ensuite, j'ai acheté des bœufs
et j'ai eu jusqu'à trente ou quarante bêtes qui ont trans-

formé toute ma paille en fumier, même qu'après j'achetais les meules des voisins.

Chaboche avait commencé à élever des veaux, au lieu de traire ses vaches. J'ai copié son système. Un de mes commis menait les vaches aux champs, dans les chaumes. J'ai remplacé mes normandes par des vaches noires, des hollandaises ; elles élevaient trois veaux au lieu de deux. Pour avoir des veaux plus en viande, j'ai acheté un taureau blanc.

Mon taureau était devenu le chef de la bande ; un grand charolais qui s'appelait Martin. Croyez-le ou non, une des vaches du troupeau, Virginie, était devenue comme sa maîtresse. Elle se faisait monter par Martin, même quand elle était pas en chaleur. Elle levait la patte pour qu'il la tète et j'ai dû lui inventer comme un soutien-gorge, un sac pour couvrir ses pis. Quand la chienne mordait le taureau, Virginie le défendait. Martin et sa vache étaient toujours couchés ensemble sur le fumier, la tête haute. Il en était jaloux. C'est ça qui l'a rendu mauvais.

Un soir que je rentrais des champs d'avoir arraché du lin pour teiller, la patronne me dit :

— Mon vieux, ton taureau, il en fait une vie !

Les vaches étaient dans l'étable ; Martin grattait à la porte ; sans doute qu'il appelait sa Virginie ; il beuglait.

— Je vais aller voir !

Avec mon petit commis, un gamin de quatorze ans, je rentre dans l'enclos. Je prend ma fourche. D'habitude, le taureau allait tout seul se faire attacher, sitôt qu'il me voyait. Mais ce jour-là, il n'a plus voulu aller à la boucle.

Avec la fourche, je lui pique le derrière. Attention ! Il fait demi-tour et se met la tête par terre. Malheureuse-

ment la chienne était attachée et mon commis n'a pas pensé
à la lâcher.

Avec le taureau, on se regardait. Je pensais :

— Si tu viens, je t'enfourche.

Chaque fois que je faisais un mouvement, il en faisait
un. J'ai bien vu que je pouvais plus me retirer. Je tenais
toujours ma fourche bien bas et je me mets en travers pour
lui présenter le côté.

Tout doucement, toujours en le regardant, je recule.
Mais mon pied droit glisse, je bascule un peu en arrière,
ma fourche se relève. Au moment, le taureau fonce sur
moi, passe sous la fourche. Il me fout un coup de tête sur
la cuisse gauche, il me jette sur sa tête et hop ! au moins
trois mètres en l'air. Heureusement qu'il avait les cornes
par côté. Ma fourche part, ma casquette, mes espadrilles ;
il m'avait presque déshabillé d'un seul coup. Je me dis :
" Pourvu que quand je serai tombé, il revienne pas sur
moi. Il va peut-être me laisser. "

A peine retombé que le taureau était sur moi. Il me
tenait avec sa tête et avec ses genoux. Moi sur le ventre.
Je pouvais pas me sauver, il m'appuyait. Sur la terre, il
m'aurait écrasé, mais le fumier était mou et au lieu de
m'enfoncer, il me poussait.

Me voilà fourré là. Je savais plus où j'étais. D'un seul
coup, il me tourne et je me vois dessous. Je vois son poi-
trail d'une largeur ! Il me tourne encore. Ça dure un
moment. Il beuglait. J'entendais ma chienne qui hurlait.
" Qu'est-ce que je fous là ? Appeler c'est pas la peine,
personne m'entendra. J'en ai déjà vu, mais je vais voir
comment on fait pour mourir. " Je m'attendais à ce qu'il
me mette le pied sur la poitrine.

J'étais foutu, mais pas rendu. J'avais pas dit mon dernier mot.

Il me fait encore rouler et là je vois le jour ; je vois les piquets de l'enclos. Il m'avait déjà poussé plus de dix mètres. Quand j'ai vu ça, j'ai aidé le taureau à me tourner. Je gagnais vers les piquets. Arrivé aux barbelés, je les attrape avec ma main pour m'avancer encore plus. Je me déchire la main, ça fait rien ; j'avais surtout peur d'être pris dans les barbelés. Il me tenait toujours, mais j'arrive à passer ma main libre entre sa corne et sa tête : je lui attrape la boucle. Là, je le tenais par le nez. Il s'est arrêté d'appuyer. Je serrais.

Je vois que le gamin détachait la chienne. Je lui crie :

— Lâche-la pas !

La chienne aurait mordu le taureau par-derrière et il serait tombé de tout son poids sur moi.

Je serrais toujours : " Tu m'arracheras le bras si tu veux, mais jamais je lâcherai. "

Il abandonnait la lutte. Je me suis mis à genoux. Je le tenais. J'ai bien attendu qu'il soit maté. Je l'ai lâché et il s'est en allé. Il en pouvait plus, et moi aussi j'en pouvais plus.

Je rentre à la maison. Mon corps était tout noir, plein de sang à cause des barbelés. Je me suis couché. J'avais mal derrière le cou ! " Il va m'avoir cassé le cou. "

Le lendemain, il était à moitié fou, il s'animait. Les gars de l'abattoir sont venus le chercher. Avec un crochet, ils lui ont attrapé la boucle. Je l'entendais gueuler dans le camion. J'étais dans le lit et je lui disais : " Mon salaud ! "

Aussitôt qu'on a pu racheter des cartouches et des fusils, le monde est allé à la chasse. Tout de suite après la guerre il y a eu beaucoup de gibier.

Des Parisiens prenaient leurs vacances exprès et chassaient deux semaines sans arrêt. Il y avait même un restaurateur qui organisait des battues pour ses clients.

Total, en un an : plus de gibier.

On a dit : " Ça peut pas marcher. " On a fait une société de chasse avec l'autre commune de Boisvillette. On réunissait bien deux mille hectares.

Ils m'ont nommé président. J'ai été dans les communes qui avaient des sociétés et j'ai copié sur leurs statuts pour qu'on soit en règle. On a décidé d'avoir une réserve de cinq cents hectares. Au bout de deux ans le gibier revenait.

On était peut-être soixante chasseurs, mais on a eu tout le gibier qu'on a voulu. A l'ouverture, chacun tuait trois ou quatre lièvres. En novembre et décembre, il restait assez de perdreaux pour faire des petits rabats. Ça a duré une douzaine d'années.

Quand il n'y a pas de gibier, on s'en rend compte ; mais après, quand on est habitué, on croit que cela va toujours continuer. Chaque année, les gars voulaient diminuer la réserve. Ils votaient pour en enlever un bout ici, un autre là. Le gibier diminuait à mesure.

Après, il y a eu des jalousies entre chasseurs. On tue un lièvre le dimanche pour le vendre lundi, et, quand l'argent s'en mêle, on est plus le maître. Aux rabats, tout le monde voulait les bonnes places. Ça devenait trop dur.

Sans rien dire à personne, j'ai fait mettre sur le journal que je donnais ma démission et que les papiers étaient chez le vice-président.

Je me suis retrouvé tranquille. Les gars ont supprimé les deux tiers des réserves et ils ont supprimé aussi les deux tiers du gibier.

Durant la guerre, comme il n'y avait pas d'huile, le gouvernement nous a imposé de faire du colza. C'est resté dans les mœurs et on en a fait de plus en plus ; mais on a été envahis par toutes sortes d'insectes qui s'attaquaient au colza à partir du moment qu'il levait, jusqu'à ce qu'il soit mûr. Il fallait tant de traitements que ça mangeait le bénéfice et on a abandonné.

Le maïs est venu remplacer le colza. En 46, les Américains nous avaient envoyé de la semence pour rien. Seulement, comme on n'avait pas de machines, il fallait planter et récolter à la main, grain par grain, épi par épi. Depuis, il y a eu des semoirs, des corn-pickers et surtout des produits qui font crever toutes les herbes excepté le maïs ; plus besoin de biner. Après le blé et l'orge, le maïs est devenu maintenant la plus grosse culture en Beauce.

En 50, j'ai acheté un deuxième Lanz. J'ai vendu cinq chevaux et j'en ai gardé quatre jusqu'au remembrement. Alors j'en ai vendu deux. J'ai vendu les derniers en 59.

En 57, Paul Richer a fait le remembrement. Il était déjà maire de Saint-Loup depuis huit ans.

Le remembrement, c'est encore la fin des haricots. Dans l'ensemble, tout le monde en était partisan, mais on était pas mûrs pour le faire. On voulait bien remembrer les champs des autres à condition de garder les siens.

Disons que Saint-Loup est mal remembré, mais que c'est quand même incroyable le bien que ça nous a fait. La commune comptait peut-être trois mille champs pour mille hectares ; il y en avait qui n'étaient même pas desservis par des chemins et, pour y aller, il fallait passer sur les autres ; des champs en longueur, d'autres en travers, des champs de six ares. Dans le temps, si un bonhomme mourait qui avait quatre champs d'un hectare et quatre héritiers, au lieu de donner un champ à chacun, on coupait tous les champs en quatre.

Avec les tracteurs, comment cultiver ça ? Sitôt entré dans un champ, il faut sortir.

Avec le remembrement, la commune doit compter trois cents champs. Vous voyez l'avantage ; c'est une belle satisfaction.

J'avais un nouveau commis : Jojo. Ses parents étaient des cousins qui habitaient Versailles. Il venait en vacances, étant petit.

Il a été commis boulanger. Comme ça lui plaisait pas, à treize ans, il est venu à Saint-Loup. Il menait les vaches aux champs. Quand il a été plus grand, je lui ai montré le tracteur. Il s'est habitué là-dedans. Il a été à la maison, tant qu'il parte soldat et, après son service, il est revenu. C'est un petit gars sérieux, depuis douze ans qu'il est avec nous.

En 58, Paul Richer s'est retiré de la culture. André et Éliane, nos enfants, étaient installés entre Chartres et Dreux, dans une ferme de cent cinquante hectares. Richer m'a cédé sur Saint-Loup une quarantaine d'hectares.

Ma moissonneuse-batteuse ne débitait plus assez pour mon exploitation. Je l'ai revendue d'occasion à Charles Dreux et j'ai acheté un diesel de trois mètres soixante.

Avec le remembrement et la mécanisation, je diminue le nombre de compagnons et je remplace leurs tracteurs de trente chevaux par des tracteurs de soixante. Ce qu'il faut, c'est des outils. C'est moins l'homme qui fait le boulot que la mécanique.

J'ai une moissonneuse-batteuse, un corn-picker, une presse, six tracteurs dont un à chenilles. Pour mener tout ça, j'ai deux commis : Marius, mon beau-frère, et Jojo.

Moi, je sers à payer.

13

Aujourd'hui

Nous voilà aujourd'hui.

J'ai soixante-neuf ans et je cultive cent soixante-dix hectares.

Tous les matins, je me lève à six heures. Mes compagnons viennent manger et je fais chauffer le café. La patronne se lève après, tout doucement. Pendant que mes ouvriers déjeunent, je prends seulement du café et on cause du boulot de la veille, d'où on en est, de ce qu'on va faire. Quand ils savent leur travail de la journée, je vais curer mes deux vaches.

Si j'ai encore deux vaches, c'est parce que je veux pas être cultivateur et aller au lait chez le voisin. Je peux pas lui dire : " J'ai plus de vache parce que ça me rapporte pas. " Pourquoi est-ce qu'il me vendrait du lait, alors ?

Curer les vaches, ça me met en train. La patronne vient tirer quelques litres de lait pour la maison et après, je fais boire les veaux. Tout en faisant mon ouvrage, j'entends les tracteurs qui démarrent.

Je déjeune : des œufs. Je soigne les poules, les canards, mon chien. J'aide à la patronne ; je vais lui chercher ses pommes de terre, ses poireaux dans le jardin. Je lui apporte tout à la maison parce qu'avec l'âge, elle est moins magnante.

Après, je prends ma voiture et je fais un tour, voir mes gars. A ce moment-là, j'observe la culture. Je prends les chemins de traverse, je passe dans le bout de mes champs, je vois le blé où j'ai semé. Je le vois lever, je le vois pousser, je vois ce qu'il lui manque, s'il a faim, s'il faut que je le traite, que je le nettoie.

L'histoire d'être cultivateur, c'est d'observer. Toutes ces plantes-là, c'est comme des animaux, ou même des enfants. Je les regarde grandir et si elles profitent mal, je fais ce que je peux. Ce qui m'intéresse dans la moisson, c'est de la voir pousser belle. Elle me plaît parce qu'elle vient de moi, un peu. Quand elle est battue et stockée sous le hangar, je la regarde plus.

Je trouve mes gars, je descends de l'auto, je marche derrière le tracteur. Ça m'intéresse tellement qu'au lieu de faire un tour, j'en fais trois. Midi arrive, je suis surpris.

Le midi, je mange avec mes ouvriers. Là, c'est plus la même conversation que le matin et on ne parle plus du boulot. On parle du journal et de toutes sortes. Après les grandes tablées d'autrefois, nous voilà quatre. C'est plutôt la vie de famille. Quand on était beaucoup, on avait des horaires, tandis que là, on a des heures pour rentrer, mais pour sortir, les gars font ce qu'ils veulent ; ils lisent, ils flânent, ils se reposent.

Quand le journal arrive le matin, je regarde seulement les grandes lettres. Après midi, je dors mon somme et je lis les articles qui me plaisent. C'est pour ça que je fais jamais marcher la T. S. F., parce que si j'ai entendu les nouvelles à la radio, je veux plus lire le journal.

A deux heures moins dix, je suis tellement habitué que je me lève sans regarder la montre. Mes gars partent. Souvent, j'ai des courses à faire ; comme aujourd'hui, j'ai été à Chartres avec Marius et on a acheté une tronçonneuse ; ou bien la banque, des visites, emmener la patronne chez le médecin.

Vers cinq heures, je vais à Luplanté faire ma partie de billard. Je retrouve les copains : Chaboche, Chevalier, Balais et puis toi. On joue jusqu'à sept heures et je rentre.

Je repasse par mes chemins de traverse. Je vois les perdreaux ; l'été, ils ont des petits et ils courent le long des chemins. Ils connaissent mon auto et quand je passe à côté d'eux ils se sauvent pas.

Le samedi après-midi, je monte à Chartres comme tous les cultivateurs de la Beauce. Depuis trente ans, je manque mon samedi guère plus que deux fois par an.

Le marché n'est pas avant quatre heures et demie, cinq heures et j'ai le temps de faire d'abord ma partie de billard au café du Croissant. Depuis quinze ans, je vais au club tous les samedis ; ils m'ont même mis Président d'honneur, mais pas parce que je joue bien...

Dans ce club, on vient de toutes les corporations : des commerçants, des fonctionnaires, des cultivateurs, des jeunes, des vieux. Tout le monde se fréquente. J'en entends jamais un causer plus haut que l'autre. Notre goût, c'est le tapis vert.

Quatre heures, et je passe à la Régionale chercher l'argent de la semaine : cinq cents ou mille francs.

Je reviens sur le marché des Halles où je trouve mes Beaucerons. On cause de notre travail. La conversation

dépend des saisons. L'hiver, on parle du mauvais temps.
Plus tard, qui a semé son orge ?

— Moi, j'ai commencé.

— Moi, je suis à moitié.

A la moisson, les gars parlent de leur récolte :

— Ça fait quarante quintaux de l'hectare...

— Cinquante ! Soixante !

A force de mentir, on arrive à se croire, parce que la
mentalité des Beaucerons c'est " au plus fort ", toujours
" au plus fort ". J'aime mieux entendre ça que d'être
sourd.

On est deux heures sur le marché, par petits groupes.
On se rencontre de l'un à l'autre. Des questions de commerce, il en est presque plus question maintenant, puisqu'on passe par les coopératives.

Après, c'est le café Noblet, toujours plein le samedi.
Ça se bouscule jusqu'au premier étage. On boit un
apéritif ou deux.

Pendant ce temps-là, la patronne a fait ses courses. Je
la ramène. Avant, il fallait s'en venir plus tôt pour nourrir
les commis qui revenaient des champs ; mais depuis
quelques années, je leur donne congé samedi après-midi et
on mange plus tard.

Les dimanches d'automne, c'est la chasse. De toute
façon, mes enfants viennent, ou on va les voir. Alice fait le
panier. Elle porte des côtelettes à Janine, un rôti à Éliane,
un poulet pour Aurore. Quand on porte, on est mieux
arrivé que quand on va chercher.

Nos enfants habitent sur la même route : Janine à Luisant, Éliane vers Dreux, et Aurore à Vernouillet. Elles se trouvent toutes les trois sur la même file, toutes les trois mariées.

Aurore a épousé un gars de Paris. J'ai même pas bien su comment elle l'a connu puisque, à cette époque, elle était institutrice à Mainvilliers. Il travaillait comme contremaître chez Renault. On manquait d'instituteurs et Aurore avait cinquante gosses dans sa classe. L'inspecteur la connaissait bien, il lui a dit :

— Si votre mari avait ces brevets-là, il pourrait faire l'école.

Jacques avait justement un brevet supérieur et il est devenu suppléant. Après, il a suivi des études tous les jeudis ; il a été reçu et il est devenu titulaire.

Janine a épousé un ancien maréchal qui était resté longtemps chez le même patron. Et puis, le métier s'est usé et Jean est allé à Chartres dans une usine où ils font des charrues. Il est là depuis dix ans. Si la culture lui avait plu... mais il a le goût de la mécanique et c'était pas la peine que je le force. C'est un bon gars, sérieux.

Je vous ai déjà raconté André, le mari d'Éliane.

Dans cette histoire de gendres, c'est pas moi qui les ai choisis, mais j'aurais sûrement pas trouvé mieux.

J'ai eu trois filles, j'aurais voulu des gars. Mais elles m'ont amené des gendres extraordinaires, des bons garçons que j'aime bien autant comme mes filles. Sûrement que si j'avais eu des gars, ils auraient pas été mieux. Ils sympathisent tous les trois, ils viennent à la maison et ça rigole.

Là, je remercie le Bon Dieu. C'est pas rien quand il y

s'entendent mal ! Tandis que presque tous les dimanches, ils vont l'un chez l'autre ou ils viennent ici. Il y a l'esprit de famille et ça me fait plaisir.

Mes filles, tout ce que je leur ai demandé, elles l'ont fait. Elles sont chic. Jamais un reproche à leur mère et à moi, jamais elle nous ont mal reçus. Elles ont été avec moi comme j'ai été avec mes parents.

J'ai sept petits-enfants. Deux petits-gars et le reste en petites-filles.

Je le répète, j'aurais voulu avoir des gars, mais j'aurais peut-être pas été mieux servi. Si j'avais eu un fils, j'aurais été obligé de laisser la culture il y a vingt ans ; avec la dévaluation, j'aurais même plus une automobile.

Tandis que mon petit-gars qui a dix-sept ans, il étudie à l'École d'agriculture et j'espère qu'il viendra me remplacer. Il devrait faire un bon cultivateur parce qu'il est descendant de paysans et que ça lui plaît. Sûrement qu'il sera plus fort que moi.

Donc il reprendra ma ferme et ça aura sauté une génération. Bien sûr je m'arrangerai pour qu'il ne soit pas avantagé par rapport aux autres petits. On tiendra compte de tout ça. Je veux qu'ils aient chacun leur part.

*Ma vie, je la referais.

Et comment, que j'ai eu de la chance ! Quand je vois des copains de ma classe tués par la guerre à dix-neuf ans, d'autres qui sont morts depuis de maladie, tous de bons garçons. Ça aurait bien pu être moi.

Je suis forcé de remercier le Bon Dieu quand je cours

dans les champs derrière le tracteur, à soixante-hu...
Pensez qu'Alice et moi, on est encore là tous les deux,
que jamais on a été malades, nos gosses non plus. Avec la
santé, le travail paraît rien, et c'est facile de gagner de
l'argent quand on travaille.

Le difficile, avec l'argent, c'est de le conserver. J'ai
pas l'esprit banquier. Avant cette guerre, j'ai prêté de
l'argent à un gros propriétaire de Vitray pour qu'il s'achète
des hectares. Quand je lui ai prêté, un cheval valait quatre
mille francs. Quand il m'a rendu, en 43 une oie valait
deux mille francs. Total chaque fois que je lui avais
prêté un cheval, il me rendait deux oies.

C'est pas tant l'argent qui m'a fait plaisir, mais c'est
d'avoir commandé une grande ferme. Dans ce métier, on
est indépendant. Quand on a payé ce qu'on doit aux
propriétaires, au percepteur, aux ouvriers, on ne demande
rien à personne. On ne dépend plus que des saisons et
de la température.

Au fond, c'est quand j'étais soldat que j'ai appris à
aimer l'indépendance.

Mais, pour se lancer aujourd'hui dans la culture, il
faut être fils ou petit-fils de paysan. C'est plus possible
de partir de zéro comme on l'a fait. A notre époque, on
n'avait pas besoin de capitaux ; maintenant, pour louer
une ferme de cent hectares, il faut payer un pas de porte
de cinquante millions d'anciens francs. C'est des machins
de folies. Cet argent-là, il vaut mieux le placer dans
n'importe quoi. Pour ceux qui aiment brasser de l'argent,
la culture convient pas. Il faut au moins un an, des années
pour que l'argent produise. En attendant, on paye.

En 1930, je mettais pour cinquante francs d'engrais à

l'hectare ; trente mille francs l'hectare en 65. Bien sûr, à cette époque, on ne faisait en moyenne que vingt-cinq à trente quintaux l'hectare. Maintenant, on en fait quarante et quarante-cinq. Rendez-vous compte que je dépense plus de cent mille francs l'hectare avant d'avoir récolté, avec les impôts, le fermage, les engrais et les produits, les surances, l'achat et l'entretien du matériel, les salaires. Dix-sept millions par an pour cent soixante-dix hectares avant de récolter. Il faut avoir le dos solide.

Avec l'évolution, les jeunes ont changé comme le reste. Ils sont plus forts que moi. Quand on est jeune, on est plus mordant. Un vieux patron, c'est tranquille. J'ai toujours été du progrès mais les jeunes s'y adaptent mieux. Ils osent dépenser davantage, ils savent prendre des risques.

Question de train de vie, ils ont le chauffage au mazout, la télévision, les grosses autos. Ils sont mieux habillés que nous. Tous les ans, ils vont faire un tour en Italie, en Espagne, en Autriche. Beaucoup vont aux sports d'hiver.

J'ai bien ma maison neuve, mais ça ne me dit rien d'y aller vivre. Avec Alice, on est habitué à l'ancienne mode. On se chauffe au bois avec deux poêles. Jamais de feu dans la chambre à coucher. J'ai encore sur mon lit un édredon fait par ma mère avec le duvet des oies que je gardais : ça me suffit. Même l'hiver je couche avec la fenêtre ouverte ; quand il fait chaud dans une pièce, je peux pas dormir. J'ai jamais froid.

A la télévision, tout ce qui m'intéresse, c'est les actualités, ou bien Mitterrand contre de Gaulle. Quand je vais chez André, je la regarde pas. Et puis, il faut se coucher tôt pour travailler le lendemain.

Avec Alice, on se souciait pas trop du cimetière, puisqu'on n'avait pas encore envie de mourir. Je m'étais dit : " Puisque mes parents sont enterrés dans le coin à tout le monde, je veux y aller aussi. "

Il y a quelques années, le Conseil municipal a décidé que ce carré du cimetière était usé, que ça faisait sale et qu'il fallait le supprimer. J'ai déplacé mon père et ma mère; je les ai mis dans une place à perpétuité. Et puis, j'ai dit à la patronne :

— Puisque c'est comme ça, je vais faire un caveau.

Je me suis adressé à un entrepreneur de Brou, pour un caveau étanche. C'est Barbet, mes commis et moi qui avons creusé le trou. Oui ! J'ai pioché mon trou, un mois de juillet.

Quand il a été fait, l'entrepreneur a maçonné le caveau. Chaque printemps, je vais le voir. Faut croire qu'il est étanche puisque depuis trois hivers il n'y a pas eu une goutte d'eau dedans. Pourtant, la terre de Saint-Loup est froide.

Comme ça, Alice et moi, on a notre place au sec.

Tu comprends, dans le temps que j'étais enfant de chœur et que j'allais à tous les enterrements, je voyais descendre le cercueil dans ce trou plein de flotte : ça me faisait mal. A croire que ça m'est resté dans la tête.

Table

IMPRIMERIE HÉRISSEY À ÉVREUX (6-88)
DÉPÔT LÉGAL 1er TRIM. 1978. N° 4825-3 (45363)

Collection Points

SÉRIE HISTOIRE